GL'ISTRICI
I libri che pungono la fantasia

1

Roald Dahl era altissimo, quasi un gigante: i suoi genitori infatti venivano dalla Norvegia, la patria dei giganti e degli gnomi. Nato nel Galles, passò infanzia e giovinezza in un college inglese, come ci ha raccontato nell'autobiografia *Boy*, e a diciotto anni andò in Africa a lavorare per una compagnia petrolifera. Durante la seconda guerra mondiale fu pilota della RAF. Ai suoi quattro figli ha raccontato le storie che poi ha scritto. Il suo primo libro parlava dell'incontro con i Gremlins, folletti dispettosi. Naturalmente ha poi conosciuto anche molti giganti, tra i quali preferiva il Grande Gigante Gentile, di cui racconta la storia nel *GGG*. Che avesse una profonda conoscenza delle streghe lo si capisce leggendo questo libro; mentre un tipo particolare di strega crudele è, in *Matilde*, la direttrice dell'Istituto «Aiuto!», la signorina Spezzindue. E anche gli Sporcelli non dovevano essergli ignoti... Che dire poi dei bambini ghiotti, viziati e teledipendenti che si smarriscono nella *Fabbrica di cioccolato*, il cui seguito, *Il grande ascensore di cristallo*, ci fa conoscere i temibili Cnidi Vermicolosi, che popolano lo spazio, e uomini politici ancor più temibili. Ma la scatenata fantasia di Dahl non ci ha regalato solo individui perfidi e disgustosi: in *Danny il campione del mondo* s'incontrano anche simpatici scapestrati come Danny e il suo meraviglioso papà.

Collana diretta da Donatella Ziliotto
Premio Andersen-Baia delle Favole 1989 alla Collana
Premio Città di Padova 1994 alla Collana

Titolo dell'originale inglese
THE BFG
Traduzione di Donatella Ziliotto

ISBN 88-7782-004-7

www.roalddahl.com

Visita www.InfiniteStorie.it
il grande portale del romanzo

Prima edizione: settembre 1987
Decima ristampa: marzo 1993
Ventesima ristampa: febbraio 1998
Trentesima ristampa: aprile 2004

SALANI GL'ISTRICI

Roald Dahl
IL GGG

Illustrazioni di Quentin Blake

Roald Dahl negl'Istrici, nei Superistrici, fuori collana

Il GGG
(anche Superistrice)
Le streghe
(anche Superistrice)
Gli Sporcelli
La fabbrica di cioccolato
(anche Superistrice)
Matilde
(anche Superistrice)
Il grande ascensore di cristallo
(anche Superistrice)
Danny il campione del mondo
(anche Superistrice)
La magica medicina
Boy
(anche Superistrice)
In solitario. Diario di volo
(fuori collana)
Un gioco da ragazzi
(fuori collana)
Il libro delle storie di fantasmi
(fuori collana)

e nei Criceti

Agura Trat
Sporche Bestie
La pesca gigante
Versi perversi
Io, la giraffa e il pellicano
Il dito magico
Il coccodrillo Enorme
Furbo, il signor Volpe

SALANI EDITORE

Per Olivia
20 aprile 1955 - 17 novembre 1962

Personaggi

Gli umani

LA REGINA D'INGHILTERRA
MARY, la cameriera della Regina
MISTER TIBBS, il maggiordomo del Palazzo
IL CAPO DELL'ESERCITO
IL CAPO DELL'AVIAZIONE
E, naturalmente, Sofia, *un'orfanella*

I giganti

L'INGHIOTTICICCIAVIVA
IL CROCCHIA-OSSA
LO STRIZZA-TESTE
IL TRITA-BIMBO
IL VOMITOSO
IL CIUCCIA-BUDELLA
LO SPELLA-FANCIULLE
IL SAN GUINARIO
LO SCOTTA-DITO
E, naturalmente, il GGG

L'Ora delle Ombre

Sofia non riusciva a prender sonno.

Un raggio di luna che filtrava tra le tende andava a cadere obliquamente proprio sul suo cuscino.

Nel dormitorio gli altri bambini sognavano già da tempo. Sofia chiuse gli occhi e rimase immobile tentando con tutte le forze di addormentarsi. Ma niente da fare. Il raggio della luna fendeva l'oscurità come una lama d'argento e andava a ferirla in piena faccia.

Nell'edificio regnava un assoluto silenzio; non una voce dal pianterreno, non un passo al piano di sopra. Dietro le tende, la finestra era spalancata, ma non si udiva né un passante sul marciapiede, né una macchina per la strada. Non si avverti-

va il più lieve rumore; mai Sofia s'era trovata in un tale silenzio.

Forse, si disse, questa è quella che chiamano l'Ora delle Ombre.

L'Ora delle Ombre, qualcuno le aveva confidato un giorno, è quel particolare momento a metà della notte quando piccoli e grandi sono profondamente addormentati; è allora che tutti gli esseri oscuri escono all'aperto e tengono il mondo in loro possesso.

Il raggio di luna brillava più che mai sul cuscino di Sofia, così lei decise di scendere dal letto per accostare meglio le tende.

Chiunque si facesse sorprendere fuori dal letto dopo che la luce era stata spenta veniva immediatamente punito. Si aveva un bel dire che si doveva andare al gabinetto, non valeva come scusa e si veniva puniti lo stesso. Ma in quel momento nessuno l'avrebbe vista, Sofia ne era sicura.

Cercò a tastoni gli occhiali sulla sedia accanto al letto. Avevano spesse lenti con la montatura metallica, e senza Sofia non riusciva a distinguere quasi nulla. Li mise, poi scivolò fuori dal letto e si avvicinò alla finestra in punta di piedi.

Quando giunse alle tende, Sofia esitò. Aveva una gran voglia di strisciarci sotto e di sporgersi dalla finestra per vedere come appariva il mondo nell'Ora delle Ombre.

Stette di nuovo in ascolto. Silenzio di tomba. Il desiderio di guardar fuori si fece così forte che non poté resistere. In un attimo era scomparsa sotto le tende e guardava dalla finestra.

Sotto l'argentea luce lunare la strada del paese, che conosceva così bene, sembrava completamente diversa. Le case apparivano sghembe, contorte, come in un racconto fantastico. Ogni cosa era pallida e spettrale, d'un biancore latteo.

Dall'altra parte della strada vide la bottega della signora Rance, dove si compravano bottoni, lana e elastico a metri. Ma anche la bottega sembrava irreale.

Sofia lasciò errare lo sguardo più lontano. E improvvisamente si sentì gelare. *Qualcosa risaliva la strada.*

Qualcosa di nero...
Qualcosa di grande...
Una cosa enorme, magrissima e oscura.

Chi?

Non era un essere umano. Non poteva esserlo. Era quattro volte più grande del più grande degli uomini. Così grande che la sua testa sovrastava le finestre del primo piano. Sofia aperse la bocca per gridare, ma non emise suono. La gola, come il resto del suo corpo, era paralizzata dalla paura.

Non c'era dubbio che quella fosse l'Ora delle Ombre.

La grande sagoma scura veniva verso di lei. Camminava rasente le facciate, risalendo la strada e nascondendosi nelle rientranze buie, non raggiunte dalla luce della luna.

Si avvicinava sempre di più, sempre di più, muovendosi a scatti. Si fermava, poi ripartiva, poi si fermava di nuovo.

Che diavolo stava combinando?

Ah, ecco! Sofia credette di capire quello che faceva: si fermava davanti a ogni casa e sbirciava attraverso i vetri dei primi piani. Anzi, doveva chinarsi per spiare dalle finestre, tanto era grande.

Si arrestava e sbirciava all'interno. Poi scivolava fino alla casa seguente e sbirciava di nuovo, e così lungo tutta la strada.

Ora la sagoma era più vicina, e Sofia poté distinguerla meglio. Osservandola, dovette concludere che in qualche modo si trattava di un INDIVIDUO. Non di un essere umano, ma proprio di un INDIVIDUO. Di un INDIVIDUO GRANDE, meglio, di un INDIVIDUO GIGANTESCO.

Sofia scrutò attentamente tra le brume lattiginose della strada. Il gigante — se lo era — portava una lunga palandrana nera. In una mano teneva un oggetto che a prima vista sembrava *una tromba molto lunga e sottile*. Nell'altra mano reggeva *una grande valigia*.

In quel momento il gigante era immobile davanti alla casa dei signori Goochey. I Gŏochey possedevano un negozio di frutta e verdura al centro del Corso e la famiglia abitava sopra la bottega. Sofia sapeva che i due bambini Goochey dormivano al primo piano, in una stanza che dava sulla strada.

Il gigante stava proprio spiando attraverso la finestra della stanza dove Michael e Jane Goochey dormivano. Dall'altra parte della strada, Sofia lo osservava trattenendo il fiato.

Vide il gigante fare un passo indietro e posare la valigia sul selciato. Si chinò, l'aperse e prese qualcosa che assomigliava a un barattolo di vetro, di quelli quadrati col tappo rotondo. Svitò il coperchio e versò il contenuto del barattolo nella campana della sua lunga tromba.

Sofia l'osservava, tremando.

Vide il gigante drizzarsi, poi introdurre lo strumento nella finestra aperta della stanza dove dormivano i fratelli Goochey. Il gigante inspirò profondamente e *puff*!, soffiò nella tromba. Non ne uscì alcun rumore, ma a Sofia parve che il contenuto del barattolo fosse stato proiettato, attraverso la tromba, nella camera da letto dei bambini Goochey.

Di che poteva trattarsi?

Il gigante ritirò la tromba dalla finestra e quando si chinò per prendere la valigia volse la testa e lanciò un'occhiata alla strada.

Nella luce lunare Sofia intravvide, in una frazione di secondo, una enorme, lunga faccia, pallida e rugosa, con due orecchie smisurate. Il naso era affilato come una lama di coltello, e sopra brillavano due occhi che ora fissavano proprio Sofia. Quello sguardo fisso le sembrò feroce, diabolico.

Tremando in tutto il corpo si ritrasse dalla finestra, volò attraverso il dormitorio, saltò nel letto e si nascose sotto le coperte.

E lì si raggomitolò rabbrividendo, silenziosa come un topo.

Il ratto

Sotto le coperte, Sofia attendeva.

Più o meno dopo un minuto sollevò un angolo della coperta e sbirciò fuori.

Per la seconda volta in quella notte il sangue le gelò nelle vene, volle gridare, ma dalla bocca non le uscì alcun suono. Là, alla finestra, stava l'enorme faccia del gigante, lunga, pallida e rugosa, incorniciata dalle tende, e i suoi neri occhi lampeggianti erano fissi sul letto di Sofia.

Un istante più tardi una enorme mano dalle dita livide strisciò come un serpente sul davanzale. La seguiva un braccio, spesso come un tronco d'albero e l'insieme, braccio, mano e dita, si dirigeva attraverso la stanza verso il letto di Sofia.

Questa volta Sofia gridò davvero, ma solo per un attimo perché di colpo la mano smisurata si abbatté sul letto e il suo grido venne soffocato dalle coperte. Raggomitolata su se stessa, Sofia sentì la forza delle dita che le si serravano intorno, la sollevavano dal letto, coperte e tutto, e la passavano attraverso la finestra.

Se vi è possibile immaginare che qualcosa di più terrificante possa capitarvi in piena notte, siete pregati di farmelo sapere. L'aspetto più terribile era che Sofia sapeva esattamente quello che stava succedendo, anche se non vedeva nulla. Sapeva che un mostro (o un gigante) con un'enorme lunga faccia pallida e rugosa e gli occhi terribili l'aveva strappata al suo letto nel bel mezzo dell'Ora delle Ombre e che ora, impacchettata nelle coperte, la stava facendo passare dalla finestra.

Ed ecco il seguito. Quando il gigante ebbe estratto dalla casa Sofia, fece un fagotto della coperta, di cui le dita smisurate reggevano le quattro cocche, e ve la imprigionò, poi, con l'altra mano, raccolse la lunga tromba e la valigia, e via a tutta forza.

Sofia, divincolandosi nella coperta, riuscì ad affacciarsi da una piccola fessura proprio sotto il pugno del gigante, e poté guardarsi intorno.

Vide le case del paese sfilare velocemente da ambo i lati. Il gigante stava percorrendo di gran carriera il Corso e andava così in fretta che il

mantello nero si dispiegava all'indietro come le ali di un uccellaccio. Ogni sua falcata era lunga quanto un campo da tennis. Così ben presto si allontanò dal villaggio e si trovò ad attraversare una distesa di campi illuminati dalla luna. Le siepi che dividevano i campi non costituivano un problema per il gigante: le saltava, semplicemente. E quando sul suo cammino apparve un largo fiume, lo attraversò d'un balzo.

Sofia continuava a guardar fuori, raggomitolata nella coperta e sballottata contro la gamba del gigante come un sacco di patate. Lasciavano alle loro spalle campi, siepi e fiumi. A un tratto un pensiero terrificante attraversò la mente di Sofia: *È la fame che lo fa andare così svelto. Vuole tornare a casa il più presto possibile, e io sarò la sua colazione.*

La grotta

Il gigante correva e correva, ma uno strano cambiamento s'era prodotto nella sua corsa. Era come se avesse innestato una marcia più alta. Andava sempre più forte, e il paesaggio cominciò a perdere i contorni. Il vento pungeva le guance di Sofia, e le riempiva gli occhi di lacrime; le ributtava indietro il capo e le fischiava nelle orecchie. Sofia aveva l'impressione che i piedi del gigante non toccassero più il suolo: era come se stesse volando. Impossibile capire se sulla terra o sul mare. C'era qualcosa di magico nelle sue gambe. Sofia dovette rintanarsi nella coperta, per paura che il vento le portasse via la testa.

Stavano attraversando l'oceano? La sensazione era proprio quella. Sofia si rincantucciò nella coperta e ascoltò l'ululare del vento. Le sembrò che passassero ore e ore.

Poi, all'improvviso, il vento cessò di mugghiare. Il gigante cominciò a rallentare e Sofia sentì che i suoi piedi si posavano di nuovo sulla terra. Tirò fuori la testa e si guardò intorno. Erano in un paesaggio di folte foreste e di fiumi ribollenti. Ora il gigante aveva rallentato l'andatura e stava correndo in modo più normale, se può dirsi "normale" il galoppo di un gigante. Balzava sopra dozzine di fiumi, sfrecciava entro vaste foreste, discendeva nelle valli e attraversava catene di colline nude come cemento, finché si addentrò in un terreno desolato che non sembrava di questo mondo. Il suolo era piatto, giallo smorto.

Grossi massi bluastri di roccia erano sparpagliati qua e là, e alberi morti si drizzavano da ogni parte come scheletri. La luna era sparita da molto tempo e stava spuntando l'alba.

Sofia, che stava sempre sbirciando dalla coperta, vide all'improvviso sorgerle davanti una montagna scoscesa. Era una montagna blu cupo e tutt'intorno il cielo scintillava e baluginava di luci. Brandelli d'oro pallido fluttuavano tra delicati lembi di nubi bianche come il ghiaccio, e il sole del mattino stava spuntanto all'orizzonte, rosso come il sangue.

Ai piedi della montagna, il gigante si fermò. Ansimava fortemente, gonfiando e contraendo il grande torace. Stava riprendendo fiato.

Proprio di fronte a loro, appoggiata al fianco della montagna, Sofia scorse una pietra rotonda e massiccia. Era grande come una casa. Il gigante l'afferrò e la spinse di lato, come un pallone da football; ed ecco apparire un enorme buco nero, così grande che il gigante non ebbe nemmeno bisogno di abbassare la testa per entrare. Avanzò nelle tenebre portando Sofia in una mano e reggendo con l'altra la tromba e la valigia.

Quando fu nella caverna si voltò e rimise la pietra al suo posto, così da nasconderne l'ingresso. Ora nell'interno non c'era il minimo raggio di luce; tutto era immerso nella più totale oscurità.

Sofia si sentì deporre al suolo, dove il gigante mollò la coperta. Poi i passi del gigante si allontanarono e Sofia rimase seduta nel buio, tremante di paura.

È pronto a mangiarmi, si diceva. Nuda e cruda, probabilmente.

O forse prima mi darà una bollita.

O mi preferirà fritta. Mi getterà come una fetta di lardo in un'enorme padella sfrigolante di burro.

Un fascio di luce accecante illuminò di colpo l'ambiente. Sofia sbatté gli occhi e si guardò intorno.

Vide un'enorme caverna dall'alta volta rocciosa. Da ogni parte, lungo le pareti, correvano mensole sulle quali erano allineati, una fila sopra l'altra, innumerevoli barattoli di vetro. Ce n'erano dappertutto, anche ammucchiati negli angoli, e riempivano ogni recesso della grotta.

In mezzo alla caverna troneggiava una tavola alta quattro metri, con una sedia altrettanto grande.

Il gigante si tolse il mantello nero e l'appese al muro. Sofia notò che sotto indossava una specie di camicia senza colletto e un vecchio panciotto di cuoio piuttosto sporco, del tutto privo di bottoni. I pantaloni erano di un verde slavato, troppo corti per le sue gambe. Ai piedi portava sandali buffi, bucati ai lati e con una grande apertura in cima per farci passare gli alluci.

Sofia, rannicchiata al suolo, nella sua camicia da notte, osservava il gigante attraverso le spesse lenti dei suoi occhiali. Tremava come una foglia, come se un dito gelido le scorresse lungo la schiena.

«Ah!» esclamò il gigante avanzando verso di lei e fregandosi le mani. «Ora noi vede che c'è qui di bello».

La sua forte voce echeggiò lungo le pareti della grotta come un tuono.

Il GGG

Con una mano il gigante prese Sofia, che non cessava di tremare, e la trasportò fino alla tavola.

Questa volta ci siamo, ecco che mi mangia, pensò Sofia.

Il gigante si sedette e si mise a osservarla attentamente. Le sue orecchie, davvero smisurate, erano grandi come ruote di un camion, e sembravano potersi muovere e girarsi a loro piacimento.

«Io ha fame!» ruggì il gigante. Poi sogghignò scoprendo i grandi denti squadrati e bianchissimi, che gli stavano piantati in bocca come enormi fette di pane a cassetta.

«Pre... prego, non mi mangi» balbettò Sofia.

Il gigante scoppiò in un boato di risata. «Solo perché io è un gigante, tu pensa che io è un buongustoso canniballo?» esclamò. «Ha ragione, proprio! I giganti è tutto canniballo e assassinistro! Ed è vero che si pappa i popolli della terra! Ora noi si trova nel Paese dei Giganti! E i giganti è dappertutto! Là fuori c'è il famoso Crocchia-Ossa! E Crocchia-Ossa si crocchia ogni sera due popollani e se li ciuccia per cena! Un rumore da spaccarti le orecchie! Un rumore di ossa crocchiate che si sente crizze-crazze per chilometri!»

«Ahia, ahia!» gemette Sofia.

«Crocchia-Ossa non mangia che gente del popollo gallese» disse il gigante. «Ogni notte galoppa nel Galles per papparsi i Gallesi».

La rivelazione ferì così profondamente il patriottismo di Sofia, che fu subito assalita da una gran furia. «E perché i Gallesi?» s'indignò. «Che cos'è che non va con gli Inglesi?»

«Crocchia-Ossa dice che i Gallesi è molto più sugoso e smaccheramelloso! Crocchia-Ossa dice che il popollo Gallese ha un profumo sensuoide. Dice che i Gallesi del Galles ha gusto di gallo».

«Può darsi» disse Sofia.

«Certo che può darsi!» esclamò il gigante. «Ogni popollo è godurioso e diverso. Qualcuno è smaccheramelloso e qualcuno è schifezza. Lo Spaniolio è pieno di schifezza. Nessun gigante mangia lo Spaniolio, mai».

«Perché no?» chiese Sofia.

«Lo Spaniolio sa di olio» dichiarò il gigante.

«Possibile» disse Sofia. Si chiedeva con un brivido dove andasse a parare tutto quel parlare di cibo. Ma a qualsiasi costo *doveva* dar corda a quello strano gigante e mostrare di divertirsi alle sue spiritosaggini. Ma erano davvero spiritosaggini? Era possibile invece che quel bestione si stuzzicasse l'appetito parlando di pietanze.

«Come lo diceva» riprese il gigante «ogni popollo ha un gusto diverso. Per esempio, il

popollo di Panama ha un forte sapore di cappello».

«Perché di cappello?» chiese Sofia.

«Tu non è molto furba» disse il gigante sventolando le orecchie avanti e indietro. «Io credeva che la genticchia di tutti i popolli è piena di cervello, ma la tua testa è più vuota di un din don».

«Che ne dice della verdura?» chiese Sofia, sperando di condurre la conversazione verso un nutrimento un po' meno pericoloso.

«Tu cerca di cambiar discorso» la redarguì il gigante. «Noi è parlando sul sapore dei popolli. E i popolli non è salata!»

Sofia non stette a discutere. L'ultima cosa che desiderava era di fare arrabbiare il gigante.

«I popolli della terra c'è in bilioni di sapori. Per esempio, il popolo della Colomba ha un forte gusto di volalite. C'è qualcosa di molto uccelloso nella Colomba».

«Lei vuol dire Colombia» lo corresse Sofia.

«Colomba, Colombia, niente giochi di parole con me, capito? Ora io ti dà un altro esempio: i popolli delle Isole Shetland lascia un tremendo gusto di lana sulla lingua, come mangiare palle da golf».

«Come mangiare un golf» non seppe trattenersi dal suggerire nuovamente Sofia.

«Di nuovo giochi di parole!» gridò il gigante. «E no, eh! Questo è un soggetto serio e affondamentale. Può io continuare?»

«Prego» disse Sofia.

«La popollazione di Terranova ha gusto di cane» proseguì il gigante.

«Certo, i Terranova *sono* cani» disse Sofia.

«Falso!» gridò il gigante, dandosi una manata sulla coscia. «Il popollo della Terranova ha un gusto di cane perché ha un gusto di *labrador!*»

«E allora di che sa la gente del Labrador?» gli chiese Sofia.

«Di Terranova!» esclamò lui trionfante.

«Non crede di fare un po' di confusione?»

«Io è un gigante molto confusionato» ammise il gigante. «Ma cerca di fare il suo meglio. E non è neanche un poco così confusionato come gli altri giganti. Conosco uno che galoppa ogni sera fino a Wellington per cena».

«Wellington?» chiese Sofia. «E dov'è?»

«Tu ha le pigne in testa, parola» disse il gigante. «Wellington è in Nuova Zelanda. Il popolo di Wellington ha un sapore particolarmente smaccheramelloso, così dice il gigante Wellingbonton».

«E che sapore ha?» lo interrogò Sofia.

«Di generale inglese» rispose il gigante.

«Già, avrei dovuto indovinarlo» disse Sofia. A questo punto decise che la conversazione era andata anche troppo per le lunghe. Se doveva esser mangiata, meglio finirla una buona volta piuttosto che andare avanti così. «E lei, che tipo di popolo mangia lei?» balbettò.

«Io?» esclamò il gigante facendo tremare con la sua voce potente le file di barattoli allineati sulle mensole. «Io mangiare i popoli della terra? Questo mai! Gli altri sì! Tutti gli altri glupp! il suo popolo ogni notte, ma io no! Io è un diverso! Io è un gentile gigante confusionato! Io è il solo gentile gigante confusionato in tutto il Paese dei Giganti! Io è il GRANDE GIGANTE GENTILE! Io è il GGG. E qual è il tuo nome?»

«Il mio nome è Sofia» mormorò Sofia, osando credere a stento alla straordinaria notizia che aveva appena udito.

I giganti

«Ma se lei è così carino e gentile» disse Sofia, «perché mi ha strappato dal mio letto e se ne è corso via con me?»

«Perche tu ha visto me» rispose il Grande Gigante Gentile. «E se qualcuno vede un gigante, lui o lei bisogna portarlo via illico presti presti».

«Perché?» chiese Sofia.

«Beh, prima di tutto» disse il GGG, «i popolli non *crede* veramente nei giganti, no? I popolli non *pensa* che noi esiste».

«Io sì» disse Sofia.

«Ah, ma solo perché tu mi ha visto!» esclamò il GGG. «E io non può permettere *a nessuno*, neanche a una piccola babbina, che mi vede e poi se ne sta a casa sua. La prima cosa che tu farà è che tu andrà in giro con le tue zampette a canterellare "Ha visto un gigante! Ha visto un gigante!", e poi ci sarà per tutto il mondo una gran caccia al gigante, una enorme battuta "Dagli al gigante!", con tutti i popolli che sfruculierà in cerca del grande gigante che tu ha visto, sempre più feroci e eccitati. Andrà sulle mie piste e peste, mi darà la caccia e mi chiuderà in una gabbia per guardare me. E poi mi metterà nello zoo come a trazione con quel po' po' di ippopot'amo e di cocodrindillo».

Sofia riconosceva che il gigante non aveva torto. Se qualcuno avesse riferito di aver visto un gigante perlustrare le vie di una città in piena notte, nel mondo intero sarebbe nata un'incredibile confusione.

«E io scommette» riprese il GGG «che tu avrebbe fanfaronato la notizia per tutto quello schifoso pianeta, se io non ti pizzicava, vero?»

«Penso proprio di sì» ammise Sofia.

«E questo non deve mai succedere» disse il GGG.

«Allora, che cosa mi capiterà adesso?» chiese Sofia.

«Se tu ritorna» disse il GGG, «avvertirà tutto il mondo nelle teglievisioni coi telespicchi e i radiospicchi. Così tu te ne starà invece qui con me per il resto della tua vita».

«Oh, no!» esclamò Sofia.

«Oh, sic!» disse il GGG. «E ti consiglia di non sgattaiattola fuori della caverna senza io, se no finirà come una cacca spiacciata! Ora io ti mostrerà chi ti mangerà se vedrà il più piccolo mignolino di te!»

Il Grande Gigante Gentile raccolse Sofia dalla tavola e la trasportò all'ingresso della caverna. Fece rotolare di fianco l'immensa pietra e disse: «Da' un'occhiatina là fuori, babbinetta, e racconta quel che vede».

31

Sofia, seduta sulla mano del GGG, scrutò all'esterno.

Ora il sole era alto e splendeva rovente sulla vasta distesa giallastra disseminata di rocce azzurrognole e di alberi morti.

«Tu li vede?» domandò il GGG.

Sofia, socchiudendo gli occhi alla vampa del sole, intravvide parecchie sagome enormi, spaventose, che si aggiravano tra le rocce ad alcune centinaia di metri di distanza. Tre o quattro erano accucciate, immobili sulle pietre.

«Questo è il Paese dei Giganti» disse il GGG. «E tutti quelli è giganti, ognuno di quelli».

Era uno spettacolo raccapricciante. I giganti erano nudi, tranne una specie di gonnellino che portavano intorno alle anche; i loro corpi erano bruciati dal sole. Ma soprattutto la loro statura impressionò Sofia: erano colossali, più alti e più larghi del Grande Gigante Gentile, sulla cui mano lei stava seduta. E come erano orribili! Alcuni avevano grandi pancioni, e tutti braccia smisurate e enormi piedi. Erano comunque troppo lontani per poterne distinguere le facce, e probabilmente era meglio così.

«Ma che diavolo stanno facendo?» chiese Sofia.

«Niente» rispose il GGG, «striscica e strascica aspettando la notte. Allora se ne andrà galoppando a cercare qualche popollo per cena».

«Nel Galles?» chiese Sofia.

«Crocchia-ossa galopperà nel Galles, naturalmente» disse il GGG, «ma tutti gli altri trotterà

32

in posti a casa del diavolo, come a Wellington per via del gusto di generale, o a Panama per il sapore di cappello. Ogni gigante ha il suo terreno di caccia favorito».

«Qualche volta vanno anche in Inghilterra?» chiese Sofia.

«Spesso. Loro dice che il popolo inglese ha uno splendido sapore di plum-cacca».

«Non riesco proprio a capire che cosa vuole dire» disse sostenuta Sofia.

«Non importa» la rassicurò il GGG. «Io non può parlare sempre giusto, qualche volta parla ingiusto».

«E tutti quei mostri se ne andranno veramente stanotte a mangiare le persone?»

«Tutte le notti si ingozza di ogni tipo di popollo, tutti meno io» rispose il GGG. «È per questo che tu diventerà come una cacca spiacccicata se uno di loro posa i suoi occhietti su di te. Ti leccherà via con un *glupp*, come un gelato!»

«Ma è un'azione orribile, mangiare la gente!» s'indignò Sofia. «È spaventoso! Com'è che nessuno prende provvedimenti?»

«E chi, secondo te?»

«Lei, non potrebbe...»

«Ma per amor del gelo!» esclamò il GGG. «Tutti i giganti che mangia uomini è enorme e molto feroce! È largo due volte più di me e misura più di due volte la mia altezza regale!»

«Più di due volte?» esclamò Sofia.

«E dice poco» assicurò il GGG. «Tu li vede da lontano, ma aspetta che viene più vicino. Tutti quei giganti è alto almeno venti metri con muscoli enormi e certi bicicliti! Io è un nano, un povero ratichico. Sette metri e venti, al Paese dei Giganti, è uno sputo».

«Non se ne faccia un cruccio» lo consolò Sofia. «Io la trovo un bel pezzo d'uomo. Le assicuro che i suoi alluci sono grossi come salsicce».

«Più grossi» disse il GGG tutto racconsolato, «grossi come mazze».

«Quanti sono i giganti?» chiese Sofia.

«Nove in tutto».

«Questo significa che ogni notte, da qualche

parte del mondo, nove disgraziati vengono divorati vivi!»

«Più» disse il GGG. «Tutto dipende, sa, da quanto è grande un genere di popollo. Il popollo giapponese, per esempio, è molto piccolo, e un gigante deve ingoiare almeno sei Giapponesi per sentirsi sazio. Altri, come i Norvegesi o i Stelle e Strisce è molto più grande, e due o tre è già un buon leccabaffi».

«E quei degenerati girano in tutti i paesi del mondo?»

«Tutti, meno in quello dello Spaniolio. Un gigante sceglie un paese secondo come gli gira. Se fa così caldo che si sente friggere come una noce di burro, probabilmente galopperà fino al grande ghiacciòlio del Nord per rinfrescarsi con un Eschimese o due. Un bell'Eschimese in carne è come un cornetto dal cuore di panna».

«Non ho motivo di dubitarne» disse Sofia.

«Così, per freddo o gelo, il gigante punterà verso i paesi caldi, per ingoiarsi un paio di Hot-Tentotti, che gli tiene calda la pancia».

«Ma è orribile quel che dice!»

«Non c'è niente di meglio che un buon Hot-Tentotto per riscaldare un gigante» asserì il GGG.

«E se lei mi mettesse giù e io capitassi fra loro» disse Sofia, «davvero mi succhierebbero come un gelato?»

«Proprio come un gelato!» esclamò il GGG. «Tu è così piccola che non gli va neanche in un dente. Il primo che ti vede ti pizzica tra due dita e tu gli sparisci nel gorgozzolo come una briciola di pioggia».

«Torniamo dentro» disse Sofia. «La loro vista mi è odiosa».

Le orecchie meravigliose

Ritornati nella caverna, il Grande Gigante Gentile posò nuovamente Sofia sulla enorme tavola. «Tu è sicura che tu è calduccia nella tua camicetta?» chiese. «Non è un po' freddolina?»

«Non si preoccupi, sto benissimo» rispose Sofia.

«Io non può smettere di pensare» disse il GGG «ai tuoi poveri mamma e papà. A quest'ora sta certamente saltellando su e giù per la casa gridando: "Ohilì, ohilà. Sofia dove sta?"»

«Non ho né papà né mamma» disse Sofia. «Sono morti tutti e due quand'ero appena nata».

«Oh, povera piccirottola!» esclamò il GGG. «E ti manca terribilmente?»

«In realtà no, perché non li ho mai conosciuti».

«Tu mi fa triste» disse il GGG sfregandosi gli occhi.

«Non sia triste» lo consolò Sofia, «nessuno si preoccuperà troppo per me. Il posto da dove mi ha presa era l'orfanotrofio del paese. Eravamo tutti orfanelli là dentro».

«Tu è una zolfanella?»

«Sì».

«E quanti ce n'era?».

«Eravamo dieci, tutte bambine».

«Era tu felice là dentro?»

«Lo odiavo, quel posto!» esclamò Sofia. «La direttrice si chiamava Battitack e se ci sorprendeva a fare qualcosa di proibito, come alzarsi la notte o dimenticare di piegare i propri vestiti, ci puniva».

«Come vi puniva?»

«Ci chiudeva in uno stanzino buio giorno e notte, senza darci né da mangiare né da bere».

«Ah, che marcio serpente a catorcio!» s'indignò il GGG.

«Era orribile» proseguì Sofia, «eravamo terrorizzate. C'erano certi toponi, là dentro, che si sentivano scorrazzare dappertutto».

«Che puzzolente ribollita!» esclamò il GGG. «Questa è la cosa più orrenda che ha sentito da anni! Tu mi fa più triste che mai!». E improvvisamente un'enorme lacrima, sufficiente a riempire un secchio, rotolò giù dalle guance del GGG e cadde con un *ciàff* sul pavimento, formando una gran pozza.

Sofia era stupefatta. Che strano essere imprevedibile è questo, pensò. Prima mi dice che ho le pigne in testa e un momento dopo si squaglia al pensiero di Battitack che ci chiude nello stanzino.

«Quello che invece rende *me* triste» disse Sofia, «è di dovermene restare in questo posto mostruoso per il resto della mia vita. L'orfanatrofio era terribile, ma almeno non ci sarei rimasta in eterno».

«Tutta colpa mia» si lamentò il GGG. «Io è quello che ti ha piratata». E un'altra enorme lacrima rotolò dai suoi occhi per andare a spiaccicarsi al suolo.

«Tuttavia, più ci penso e più mi dico che non posso rimanerci così a lungo» disse Sofia.

«Io teme di sì» mormorò il GGG.

«No» insistette Sofia, «perché quei bruti là fuori finiranno per acchiapparmi prima o poi, e si faranno una bella merendina».

«Io non permetterà *mai* che accade» disse il GGG.

Per qualche minuto ci fu silenzio, nella caverna, poi Sofia riprese: «Posso farle una domanda?»

Il GGG si asciugò le lacrime col dorso della mano e posò su Sofia un lungo sguardo pensoso. «Spara» disse.

«Può dirmi per favore che cosa faceva nelle strade del nostro villaggio la notte scorsa? Perché ha infilato la sua lunga tromba nella finestra della camera dei bambini Goochey e ci ha soffiato dentro?»

«Ah, ah!» esclamò il GGG raddrizzandosi di colpo sulla sedia. «Ecco che si incomincia a ficcanasare!»

«E la valigia che portava?» chiese Sofia. «Cosa significa tutto questo?»

Il GGG dette uno sguardo sospettoso alla bambina accomodata a gambe incrociate sulla sua tavola.

«Tu sta chiedendomi di rivelarti dei top-secreti. Secreti che nessuno ha mai sentito parlare».

«Non fiaterò» disse Sofia. «Lo giuro. E del resto, come potrei? Sono confinata qui per il resto della mia vita».

«Tu potrebbe dirlo agli altri giganti».

«Si figuri. Proprio lei mi ha detto che, se appena mi vedessero, farebbero di me un bocconcino».

«Sicuro» confermò il GGG. «Tu fa parte dei popolli della terra e gli esseri dei popolli è squizzito per i giganti come lapponi con la crema».

«E dato che mi mangerebbero appena mi vedessero, non mi rimarrebbe il tempo di dire una parola, le pare?»

«Non una parola» confermò il GGG.

«E allora, perché ha paura che possa raccontar loro qualcosa?» chiese Sofia.

«Perché io è un tipo molto confusionato, ecco» disse il GGG. «Se tu ascolta tutto quello che dico, ti verrà gli orecchioni».

«Per favore, mi racconti quello che faceva nel nostro villaggio» insistette Sofia. «Ho promesso che può fidarsi di me».

«Tu mi può insegnare come avere un elefonte?» chiese il GGG.

«Ma che vuol dire?»

«Io vorrebbe tanto avere un elefonte da cavalcare» disse il GGG sognante. «Vorrebbe tanto avere un bell'elefonte jumbetto per cavalcare nelle verdi foreste e cogliere frutti pescosi dai rami degli alberi. Questo è un maledetto paese fritto e cotto: non ci cresce niente meno i cetrionzoli.

Vorrebbe tanto andare da qualche altra parte e cogliere ogni mattina i frutti pescosi in groppa al mio elefante».

Sofia si commosse a sentirlo parlare così.

«Forse un giorno lo avremo, un elefante» disse, «e anche dei buoni frutti sugosi. Ma adesso mi dica che cosa faceva nel nostro villaggio».

«Se veramente tu vuole sapere che cosa faceva nel vostro villaggio» disse il GGG, «bene, ecco: stava soffiando un sogno nella camera di quei bambini».

«*Soffiando un sogno?*»

«Sì, io è un gigante-soffia-sogni» disse il GGG; «quando tutti gli altri giganti se ne trotta in giro per papparsi la gente dei vari popolli, io corre in altri posti per soffiare sogni nelle camere dei bambini dormentati. Bei sogni. Sogni d'oro. Sogni che rende felici».

«Un momento» disse Sofia, «ma dove li va a prendere, questi sogni?»

«Li colleziona» disse il GGG mostrando con un ampio gesto le file e file di barattoli sugli scaffali. «Ne ha a bilioni».

«Ma come fa a prenderli? E poi i sogni non si possono imprigionare!»

«Tu non ci capirà mai niente» disse il GGG. «È per questo che non voleva parlarti».

«Oh, per favore, mi racconti! Sono sicura che capirò! Continui! Mi dica come fa ad acchiappare i sogni, mi dica tutto!»

Il GGG si installò comodamente sulla sedia e accavallò le gambe. «Sogni» disse «è una cosa molto misteriosa. Flotta nell'aria come bollicine di gazosa in cerca della gente dormentata».

«Si possono vedere?» chiese Sofia.

«Al primo momento, no».

«E allora come fa ad acchiapparli, se sono invisibili?»

«Ah, ah!» esclamò il GGG, «è qui che si arriva ai bui secreti nascosti».

«Non ne farò parola con nessuno».

«Lo crede bene» disse il GGG. Chiuse gli occhi e se ne stette immobile per un momento, mentre Sofia rimaneva in attesa.

«Un sogno» proseguì finalmente, «mentre fila nell'aria della notte, emette un sottile sssibilo. Ma questo sssibilo è così leggero e argentino che nessun popollano riesce a udirlo».

«E lei *può*?» chiese Sofia.

Il GGG accennò col dito alle sue orecchie, enormi come la ruota di un camion, e si mise a muoverle avanti e indietro. Era orgoglioso di quella esibizione, e sul suo viso aleggiava un sorriso soddisfatto. «Tu vede questo?» chiese.

«Impossibile non vederlo» disse Sofia.

«Forse ti pare un po' ridicocole, ma deve credermi se dice che è orecchie straordinarie. Non c'è da farsi baffo».

«E chi si fa beffe? Non certo io» disse Sofia.

«Mi permette di sentire assolutamente tutto, perfino il rumore più infinitèsile».

«Lei cioè sente rumori che io non posso sentire?»

«Confronto a me, tu è sorda come un budi-

no!» esclamò il GGG. «Tu sente solo i grandi rumori bombardosi, con quelle tue orecchiottole. Ma io sente *tutti i secreti mormorii dell'universo!*»

«Come? Cosa?»

«Nel tuo paese sente i passetti di una coccinella che cammina su una foglia».

«Davvero?» fece Sofia, che cominciava a impressionarsi.

«E inoltre» continuò il GGG «sento questi passi *molto forte, pataplùm, pataplùm, pataplùm*, come quelli di un gigante»

«Oh Dio mio!» esclamò Sofia. «E che cos'altro sente?»

«Sente spegolettare le formichine quando cammina sul terreno».

«Sente veramente parlare le formiche?»

«Ogni singola parola, anche se non capisce la loro lingua affurmicata».

«Continui».

«Qualche volta, quando la notte è molto chiara e io orienta le mie orecchie nella giusta direzione» proseguì il GGG, e così dicendo girò le orecchie verso il soffitto, «se le giravoltola in questo modo e la notte è molto chiara, qualche volta riesce a sentire una musica lontana che viene dalle stelle del cielo».

Sofia rabbrividì leggermente. Sedeva in silenzio, in attesa del seguito.

«È le mie orecchie che mi ha detto che tu stava guardandomi dalla finestra, la notte scorsa» disse il GGG.

«Ma se non facevo nessun rumore!»

«Io sentiva il tuo cuore battere attraverso la strada. Forte come un tamburo».

«Mi dica che altro sente» pregò Sofia, «per favore».

«Io può sentire gli alberi e le piante».

«Perché, *parlano?*»

«Loro non parla proprio» disse il GGG. «Loro fa suoni. Per esempio, quando io coglie un bel fiorellino, se io torce il gambo finché si rompe, allora la pianta grida. Io può sentirla gridare e continuare a gridare molto chiaramente».

«Davvero?» esclamò Sofia. «Che orrore!»

«Grida proprio come tu griderebbe se qualcuno ti torce il *tuo* braccio».

«Proprio così?» chiese Sofia.

«Credi che io ti racconta balle?»

«No, ma è difficile crederci».

«Allora io finisce qui» disse bruscamente il GGG. «Io non vuole che sembra un contaballe».

«Oh no, non ho mai detto questo!» esclamò Sofia. «Le credo. Veramente. Per favore, continui!»

Il GGG posò uno sguardo grave sulla bambina. Sofia lo fissò apertamente negli occhi. «Io le credo» sussurrò.

L'aveva offeso, se ne rendeva conto.

«Io non ti racconterà mai balle» disse il GGG.

«Lo so bene, ma deve capire che non è facile per me credere a cose così straordinarie al primo colpo».

«Questo io lo capisce».

«Così, per favore, mi perdoni e continui».

Il gigante tacque un attimo, poi riprese: «E con gli alberi è lo stesso come con i fiori. Se io pianta un'ascia nel tronco di un grande albero, io sente un suono terribile che viene dal cuore dell'albero».

«Che tipo di suono?»

«Un lamento soffocato, come quello di un vecchio che sta morendo lentamente».

Tacque ancora. La caverna si riempì di silenzio.

«Gli alberi vive e cresce proprio come tu e me» disse. «È vivi. Così è le piante».

Sedeva rigido sulla sedia, con le mani congiunte. Il suo volto era luminoso, e gli occhi tondi brillavano come stelle.

«Suoni così belli e terribili io sente!» disse. «Qualcuno tu non vorrebbe sentire mai, ma altri è musica sublime!»

Sembrava quasi trasfigurato dall'eccitazione che gli provocavano i suoi pensieri: gli risplendeva il viso, tanto che pareva persino bello.

«Mi racconti ancora» disse Sofia a voce bassa.

«Tu dovrebbe sentire parlare i topinetti! I topinetti chiacchiera continuamente, e io li sente forte come la mia stessa voce».

«E che dicono?»

«Solo loro lo sa. Anche i ragni è assai chiacchierone. Tu non ci crederebbe, ma i ragni è i più grandi mulini a parole che io conosce. E quando sta tessendo la sua tela, canta per tutto il tempo. E il suo canto è più dolce che quello dell'usiùgola».

«E che altro sente?»

«Anche il bruccolo è pegottelissimo».

«Che dice?»

«Non fa che discutere continuamente per sapere chi diventerà la più bella farfalla».

«C'è qualche sogno che sta volando qui in giro in questo momento?» chiese Sofia.

Il GGG mosse le grandi orecchie in tutte le direzioni, ascoltando attentamente. Poi scosse la testa. «Non c'è sogni da queste parti» disse, «meno che nei barattoli di vetro. I sogni arriva raramente nel Paese dei Giganti».

«Come fa a prenderli?»

«Nello stesso modo come tu prende le farfalle: con un retino».

Si alzò e andò verso un angolo della caverna dove una grande pertica stava appoggiata contro la parete. Era lunga una dozzina di metri, con una rete all'estremità.

«Ecco il mio piglia-sogni» disse prendendo la pertica. «Ogni mattina io me ne va a catturare nuovi sogni da mettere nei miei barattoli».

Improvvisamente, sembrò perdere ogni interesse alla conversazione: «Io ha fame» disse. «È l'ora del mangia».

I cetrionzoli

«Ma se lei non mangia la gente come fanno gli altri» chiese Sofia, «di che cosa *vive*?»

«È un problema maldidamente difficile da queste parti» disse il GGG. «In questo paese melmente e deprimoso non cresce buoni bocconcini come ostriche e trottole. Del resto, niente cresce qui meno una specie di legume tremendamente schifiltoso e nausea–abbondo. Si chiama cetrionzolo».

«Centrionzolo!» esclamò Sofia. «Ma non esiste!»

Il GGG guardò Sofia e sorrise, scoprendo una ventina di denti bianchi e quadrati.

«Ieri» disse, «non si credeva ai giganti, vero? Ed ecco che oggi non si crede ai cetrionzoli. Allora, solo perché non si è *visto* qualcosa con queste tue due palpebrette, si pretende che non esiste. E come la mette allora con la gattabuia delle steppe?»

«Scusi?»

«E con la forca dei Mari del Sud?»

«Che sarebbe?»

«E col tapiro rulante?»

«Cos'è?»

«E col calcestruzzo?»

«Sono animali?» chiese Sofia.

«È animali *molto* comuni» disse il GGG con sussiego. «E io non è tra i giganti più istruiti, ma mi sembra che tu è un esemplare di popollo che non sa proprio niente. Ha la testa piena di cotone anglòfilo».

«Vuol dire di cotone idrofilo?» lo corresse Sofia.

«È due cose diverse» disse sostenuto il GGG. «E ora ti mostrerà un cetrionzolo».

Il GGG aprì lo sportello di una massiccia dispensa e ne trasse la cosa più curiosa che Sofia

avesse mai visto. Era lunga circa la metà di un uomo, ma molto più grossa, come una carrozzella per bambini. Era nera, ricoperta di protuberanze rugose, e strisce bianche correvano per tutta la sua lunghezza.

«Questo è lo schifente cetrionzolo!» esclamò il GGG impugnandolo. «Io lo disgusta, lo schifa, lo ripugna! Ma se io rifiuta di ingoiarmi i popolli come gli altri giganti, io deve passare la mia vita a ingozzarmi di questi fetosi cetrionzoli. Altrimenti, non rimarrebbe di me che pelle e tosse».

«Vuol dire pelle e *ossa*?»

«Io sa bene che si dice ossa» replicò il GGG, «ma ti prega capire che non può farci niente se qualche volta io mi intortiglia parlando. Cerca sempre di fare del mio meglio».

Il Grande Gigante Gentile aveva l'aria così avvilita, che Sofia ne fu scossa.

«Mi dispiace» disse, «non volevo essere scortese».

«Non esiste scuole per imparare a parlare nel Paese dei Giganti» disse il GGG tristemente.

«Ma non avrebbe potuto insegnarglielo sua madre?» chiese Sofia.

«Mia *madre*!» esclamò il GGG. «I giganti non ha madre! Tu dovrebbe almeno sapere *questo*!»

«Non lo sapevo».

«Chi ha mai sentito parlare di una *donna* gigante!» disse il GGG, facendo roteare il cetrionzolo intorno alla testa come una clava. «Mai esistita una donna gigante! E mai esisterà. I giganti è tutti maschi!»

Sofia era un po' sconcertata. «Ma allora, come siete nati?»

«I giganti non nasce» replicò il GGG, «i giganti *appare*, e basta, come il sole e le stelle».

«E lei, quando è apparso?» chiese Sofia.

«E come diavolo può io saperlo?» disse il GGG. «Era tanto tempo fa che non può fare il conto».

«Vuol dire che non conosce la sua età?»

«Nessun gigante la sa» disse il GGG. «Tutto quello che io sa di me è che è molto vecchio, molto, molto vecchio e rugoso. Forse io è vecchio come la terra».

«E cosa succede quando i giganti muoiono?» chiese Sofia.

«I giganti non muore mai» rispose il GGG. «Qualche volta improvvisamente un gigante sparisce e nessuno sa dov'è andato. Ma la maggior parte di noi giganti continua semplicemente a vivere, come dei girapollici mai stanchi».

Il GGG continuava a tenere l'impressionante cetrionzolo nella mano destra, e ora ne portò un'estremità alla bocca e ne staccò un gran boccone con i denti. Prese a masticarlo e si sarebbe detto, dal rumore che produceva, che stesse masticando pezzi di ghiaccio.

«È disgustando!» biascicò e, parlando con la bocca piena, sputacchiava pezzi di cetrionzolo che rischiavano di raggiungere Sofia come palle di cannone. Sofia saltellava qua e là per la tavola, cercando di mettersi fuori tiro.

«È ripugnabile!» gorgogliò il GGG. «È appestoso! È marcinoso! È vermifugo! Prova tu stessa questo schifissimo cetrionzolo!»

«No, grazie, no» disse Sofia indietreggiando.

«È tutto quello che ormai ti resta da inghiottire, così è meglio che tu ti abitua» disse il GGG. «Via, puzzina sotto il naso, da' un morsetto!»

Sofia ne prese un pezzettino.

«Aaaaaasch!» bofonchiò. «Oh no, oh mamma, aiuto!» e sputò. «Sa di pelle di rospo!» ansimò. «Di pesce marcio!»

«Peggio!» esclamò il GGG, ruggendo dal ridere. «Per me ha un gusto di gabinetto di stazione e di frullato di bava!»

«Davvero dobbiamo mangiare questa roba?» mormorò Sofia.

«Sì, a meno che tu non vuole diventare così magra che sparisce in un soffro».

«In un *soffio*» lo corresse Sofia.

Di nuovo la stessa espressione di scorata tri-

stezza apparve negli occhi del GGG.

«Parole» disse, «mi ha sempre abracabrato. Prova ad avere un po' di pazienza con me, e non capilla. Come ti ha già spiegato, io sa benissimo quello che parole vuole dire, ma in un modo o nell'altro le parole finisce sempre per intortiglintricarsi».

«Succede a tutti» disse Sofia.

«Non come a me» disse il GGG, «io parla un terribile granbrigné».

«Io penso che il suo modo di esprimersi sia affascinante» disse Sofia.

«Davvero?» esclamò il GGG illuminandosi improvvisamente in volto. «Tu trova davvero?»

«Affascinante» ripeté Sofia.

«Beh, questo è il più bel regalo che io ha ricevuto in tutta la mia vita!» esclamò il GGG. «Tu è sicura che non mi sta introttolando?»

«Certo che no» disse Sofia. «Adoro il suo modo di parlare».

«Ma è miravibondo!» s'entusiasmò il GGG, sempre più esaltato. «Fantelastico! Davvero esiliante! Io è tutto confusionato!»

«Ascolti» lo interruppe Sofia, «noi non siamo obbligati a mangiare cetrionzoli. Nei campi intorno al villaggio dove abitavo cresce ogni tipo di ottimi legumi, come cavolfiori o carote. Perché non ne prende un po' la prossima volta che va da quelle parti?»

Il GGG levò fieramente il capo. «Io è un gigante onorifico» disse. «Preferisce masticare dei putrefanti cetrionzoli piuttosto che sgraffignare qualcosa ai popolli».

«Ma *me*, mi ha sgraffignata» notò Sofia.

«Oh, io non ha rubato molto» ribatté il GGG con un tenero sorriso. «Dopo tutto tu è solo una babberottola».

Il San Guinario

Improvvisamente un tremendo, rimbombante trapestìo venne dall'ingresso della caverna e una voce di tuono ruggì: «Ehi, nanerottolo, è là? Si sente che tu blatera. Ma con chi blatera, tu nanerottolo?»

«Attenta!» esclamò il GGG. «È il San Guinario!». Ma non aveva terminato la frase che la pietra rotolò di lato e un gigante di una ventina di metri, grande e grosso due volte il GGG, entrò nella caverna. Era nudo, tranne lo straccio sporco che portava intorno ai fianchi.

Sofia stava sulla tavola, accanto all'enorme cetrionzolo sbocconcellato. Vi si nascose dietro.

L'essere avanzò nella caverna a passi pesanti e si arrestò di fronte al GGG, dominandolo con la sua mole. «Con chi stava blaterando poco fa?» tuonò.

«Blaterava con io stesso» rispose il GGG.

«Balloso!» esclamò il San Guinario. «Bacherozzo spiaccicato! Io in mio cervello sa che tu parlava con qualche popollano».

«Oh, no no!» protestò il GGG.

«Oh, sic sic!» tuonò il San Guinario. «Io in mio cervello sa che tu ha preso un popollano e lo

ha portato nella tua tana per giocare! Ora io te lo snicchia e me lo ringuzzola come stuzzichino».

Il povero GGG era molto agitato. «Non... non c'è nessun popollano qui» balbettò. «Per... perché non mi lascia tu in pace?»

Il San Guinario puntò contro il GGG un indice grosso come un tronco d'albero: «Mezz'aluccia ratrappita!» grugnì. «Avanzo tisico! Marcio fondo di bottiglia! Cacchetta imbozzolata! Ora me la gusta io la primizia!» minacciò, afferrando il GGG per un braccio. «E tu mi aiuterà. Ora tutti e due si scova questo gustevole esempio di popollo!»

Il GGG aveva già pensato di far sparire Sofia dalla tavola alla prima occasione, e di nasconderla dietro la schiena, ma ora non c'era speranza di poterlo fare. Sofia spiava la scena nascosta dall'estremità intaccata dell'enorme cetrionzolo, seguendo i due giganti che si muovevano qua e là per la caverna. L'aspetto del San Guinario era raccapricciante: la sua pelle era bruno-rossastra, con pelacci neri che gli spuntavano dal petto, dalle braccia e dallo stomaco. Aveva i capelli neri, lunghi e cespugliosi, il volto ripugnante rotondo e flaccido, gli occhi come buchetti scuri e il naso corto e piatto. La bocca era enorme, tagliava la faccia da orecchio a orecchio e le labbra parevano due orrendi salsicciotti posati l'uno sull'altro. Denti gialli e taglienti sporgevano da quei salsicciotti rossi, e rivoli di bava gli colavano sul mento.

Non si faceva una gran fatica a credere che

tutte le notti quel terrificante bestione s'ingozzasse di uomini, donne e bambini.

Il San Guinario, tenendo sempre il GGG per un braccio, stava esaminando le innumerevoli file di barattoli. «Tu e le tue maldide bottiglie!» grugnì. «Che ci ficca dentro?»

«Niente che t'interessa» disse il GGG, «la sola cosa che a tu interessa è di rimpinzarti di popolli».

«Zitto tu, sottogigante strabico!» esclamò il San Guinario.

Da un momento all'altro questo bruto tornerà indietro, pensò Sofia, e guarderà sicuramente sopra la tavola.

Le era impossibile saltare a terra: si sarebbe rotta una gamba. E il cetrionzolo, benché fosse grande come una carrozzella per bambini, non sarebbe servito a nasconderla. Esaminò l'estremità sbocconcellata del legume; all'interno c'erano grossi semi, della dimensione di un melone, adagiati in una materia molliccia e vischiosa. Badando a non farsi scorgere, Sofia si fece avanti e tolse una mezza dozzina di semi, creando al centro del cetrionzolo una specie di nicchia sufficiente a nasconderla se vi si fosse acquattata. A quattro zampe raggiunse il nascondiglio umido e appiccicoso, ma era più terribile l'idea di poter essere divorata.

Il San Guinario e il GGG stavano tornando verso la tavola. Il GGG si sentiva quasi svenire dall'angoscia: in qualsiasi momento Sofia poteva venir scoperta e mangiata.

Improvvisamente, il San Guinario afferrò il cetrionzolo sbocconcellato, e il GGG poté contemplare la tavola deserta.

Dov'è tu? pensò disperato. Non ha potuto buttarti da una tavola così alta. Dove ti nasconde, Sofia?

«Allora, è questo il putrefacente e disgustabile vegetario che mangia?» grugnì il San Guinario reggendo il cetrionzolo sbocconcellato. «Ti deve essere completamente pazziato per mangiare una simile spazzamolle!»

Per un istante, il San Guinario sembrò essersi dimenticato della sua ricerca, e il GGG decise subito di approfittarne per depistarlo. «Questo è lo smaccheramelloso cetrionzolo» disse. «Io va in estasi giorno e notte, quando lo mangia. Non ha mai assaggiato un cetrionzolo, San Guinario?»

«I popolli è molto più succulosi» disse questi.

«Tu dice scematte» continuò il GGG, il cui coraggio cresceva di momento in momento. Pensava che se solo fosse riuscito a far ingoiare al San Guinario un boccone di quel ripugnante legume, il suo gusto abominevole lo avrebbe fatto scappare dalla caverna urlando. «Io è felice di farti assaggiare un pezzetto» disse. «Ma per favore, quando avrà sentito com'è succulante, non pappamelo tutto. Lascia a io un pezzettullo per cena».

Con i suoi occhietti porcini, il San Guinario esaminava il cetrionzolo sospettosamente.

Sofia, rattrappita, cominciò a tremare.

60

«Non è che tu mi sviolina, eh?» fece il San Guinario.

«Mai al mondo!» dichiarò con foga il GGG. «Tu prende un bocconcino e io ti garantisce che tu canterà: "Mai mangiato un coso più smaccheramelloso!"»

Il GGG vedeva la bocca avida del San Guinario sbavare più che mai alla prospettiva di un merendino extra.

«E poi i vegetari fa bene alla salute» continuò il GGG, «non è sano mangiare soltanto cose carnose».

«Solo per questa volta io ci sta a mangiare la tua zozzura» disse il San Guinario. «Ma ti avverte che se è schifante io te la spacca sulla tua testucola tartarugosa».

Impugnò il cetrionzolo e il lungo viaggio verso la sua bocca, a una quindicina di metri dal suolo, cominciò.

Sofia avrebbe voluto gridare «Oh, no!», ma

questo l'avrebbe condotta a una morte ancora più certa. Rincantucciata tra i semi viscidi, si sentì trasportare sempre più in alto.

Quando il San Guinario staccò un grosso pezzo all'estremità del cetrionzolo si udì un *crunch*; Sofia vide le zanne giallastre serrarsi a pochi centimetri dalla sua testa, poi precipitò nell'oscurità più totale: era nella bocca del mostro. Le arrivò una zaffata di alito fetido, che sapeva di carne avariata, e non le rimase che attendere il prossimo *crunch* e sperare in una morte rapida.

«Bllaaaaaaaah!» ruggì il gigante. «Pfeeeeeeh! Achchch!» E poi sputò.

Grossi pezzi di cetrionzolo, insieme con Sofia, furono scaraventati qua e là per la caverna.

Se Sofia fosse stata scaraventata contro la parete rocciosa, sarebbe certamente morta sul colpo. Invece piombò tra le pieghe morbide del mantello nero che il GGG aveva appeso al muro. Scivolò al suolo, mezza intontita, raggiunse carponi l'orlo della cappa e ci si nascose sotto.

«Porco maiale!» ruggì il San Guinario. «Grufolatore di bucce!» Si precipitò sul GGG e gli sbatté sul cranio i resti del cetrionzolo. Pezzi del ripugnante legume si sparsero per la caverna.

«Non è di tuo gusto?» chiese con aria innocente il GGG massaggiandosi la testa.

«Di mio *gusto*?!» urlò il San Guinario. «Non ha mai messo niente di più schifenzoso sotto i denti! Tu deve essere completamente toc-toccato per buttar giù una simile poltaglia! Mentre ogni notte tu potrebbe galoppare in cerca di qualche godurioso popollano, felice come un hamburgher!»

«È cosa brutta e sbagliata mangiare la genticchia dei popolli!» sentenziò il GGG.

«È gozzovigliante e succuleccellente!» protestò il San Guinario. «E stanotte io me ne andrà fino in Norvegia. Sai perché?»

«Non voglio saperne nulla» disse con dignità il GGG.

«Perché con questa cacca di merda di caldo io ha voglia di cose fresche, e il Popollo Nord ha poca gente, ma freschissima!»

«Disgustoso» disse il GGG. «Tu dovrebbe vergognarti».

«Gli altri giganti dice che vuole andare in Inghilterra, stanotte, per scolarsi un po' di scolari» proseguì il San Guinario. «Anche a io piace molto scolare gli scolari inglesi, con quel saporino di inchiostro fresco e quei loro grembiulini color marron glacé. Forse io cambia idea e va in Inghilterra con loro!»

«Tu è orribile!» disse il GGG.

«E tu è un insulto alla razza dei giganti!» esclamò il San Guinario. «Tu è negato per essere un gigante. Tu è un mostriciattolo di nanerottolo! Tu è uno sguercio lercio! Tu è un foruncolo di omuncolo! Tu è un fetente niente!»

Con ciò l'orribile San Guinario lasciò a gran passi la caverna. Il GGG si precipitò all'entrata e spinse in fretta il masso al suo posto.

«Sofia» mormorò, «Sofia, dove è nascosta tu, Sofia?»

Sofia emerse da sotto l'orlo della cappa nera. «Sono qui» disse.

Il GGG la raccolse da terra e la contemplò teneramente, tenendola nella palma della mano. «Oh, come io è felice di trovarti tutta intera!» esclamò.

«Sono stata nella sua bocca» disse Sofia.

«*Cosa*?!» esclamò il GGG.

Sofia gli raccontò cos'era successo.

«E io che lo incoraggiava a mangiare il repugnoso cetrionzolo mentre tu era dentro!» si lamentò il GGG.

«Non mi è piaciuto per niente!» disse Sofia.

«Ma guarda qui, povera piccirottola!» esclamò il GGG. «Ecco te tutta coperta di cetrionzolo e di bava di gigante!» E prese a ripulirla come meglio poteva.«Io ora odia gli altri giganti più di prima» disse. «Tu sa cosa mi piacerebbe?»

«Cosa?»

«Io vorrebbe trovare il modo di farli scomparire, ognuno di loro».

«E io sarei lieta di aiutarla» disse Sofia. «Mi faccia pensare a una maniera possibile».

Sciroppio e scoppi

Sofia cominciava non solo ad avere una gran fame, ma anche una sete terribile. Se fosse stata all'orfanotrofio, avrebbe da molto tempo terminato di far colazione.

«È sicuro che non ci sia nient'altro da mangiare da queste parti che quel disgustoso cetrionzolo puzzolente?» chiese.

«Neanche uno spillo di grillo» rispose il Grande Gigante Gentile.

«Allora, potrei avere per favore almeno un po' d'acqua?»

«Acqua?» si meravigliò il GGG aggrottando fortemente le sopracciglia. «Che cos'è acqua?»

«Quello che noi beviamo» disse Sofia. «E voi, cosa bevete?»

«Sciroppio» disse il GGG. «Tutti i giganti beve sciroppio».

«È ripugnante come il cetrionzolo?» chiese inquieta Sofia.

«Ripugnante?» s'indignò il GGG. «Lo sciroppio ripugnante? Lo sciroppio è dolce e squizzito!» Si alzò dalla sedia e andò verso una seconda dispensa, enorme quanto la prima. L'aperse e ne tolse una bottiglia di vetro di quasi due metri,

semipiena di un liquido verdognolo.

«Ecco lo sciroppio!» esclamò il GGG brandendo la bottiglia fieramente, come se contenesse vino pregiato. «Lo squizzito sciroppio scoppiettante!»

Scosse la bottiglia e il liquido verde cominciò a frizzare da matti.

«Oh, guarda!» esclamò Sofia. «Le bollicine vanno nel verso *sbagliato*!» Infatti, invece di salire e di scoppiare alla superficie, le bollicine si dirigevano verso il basso e scoppiavano sul fondo, dove formavano uno strato di schiuma verdastra.

«Cosa diavolo tu intende per *verso sbagliato*?» chiese il GGG.

«Nelle nostre bevande gasate» spiegò Sofia,

«le bollicine vanno sempre verso l'alto e scoppiano alla superficie».

«Verso l'alto: questo è il *verso sbagliato*!» esclamò il GGG. «Mai le bolle deve andare verso l'alto. È l'asinata più ribrezzante che io ha mai inteso!»

«Perché?»

«E tu mi chiede *perché*?» esclamò il GGG agitando l'enorme bottiglia come se dirigesse un'orchestra. «Tu pretende veramente che non sa perché è un calamitoso calamatto che le bolle va su invece di giù?»

«Prima lei ha detto che era ribrezzante, adesso che è calamitoso; ma come stanno veramente le cose?» cercò di puntualizzare Sofia.

«Tutte e due: è un calamatto calamitoso e ribrezzante lasciare che le bolle va su! E se tu non capisce questo, non ha più cervello d'un ocane. Per becco! Tu ha la testa così piena di caccole di rospo, di spifferi di piffero, che io diventa un babà se tu capisce qualcosa!»

«E perché le bolle non dovrebbero andar su?» insisté Sofia.

«Io cercherà di spiegartelo» disse il GGG, «ma prima dice a me come si chiama il vostro sciroppio nel tuo paese».

«O Coca, o Pepsi» disse Sofia. «E ce n'è molti altri».

«E le bolle va *sempre* verso l'alto?»

«Sempre».

«Ma è catastrozzo!» esclamò il GGG. «Verso l'alto! Ma è disastrozzo e catastrozzo!»

«Insomma, mi vuol dire *per favore* perché?» chiese Sofia.

«Se tu mi ascolta con attenzione, io proverà» disse il GGG, «ma tu ha la testa così piena di cicche di cicale che mi chiede se tu comprenderà».

«Farò del mio meglio» assicurò pazientemente Sofia.

«Allora, ecco: quanto tu beve questa vostra Cocca, se ne va dritta dritta nella pancina. Chiaro o scuro?»

«Chiaro».

«E anche le bolle va nella pancina. Chiaro o scuro?»

«Sempre chiaro».

«E le bolle frizza verso l'alto?»

«Certo».

«Questo significa» proseguì il GGG «che le bolle va bizzibizzi fino in gola ed esce dalla bocca con un rutto un pochetto vomitoso».

«Sì, succede spesso» riconobbe Sofia, «ma che fa un ruttino di tanto in tanto? È anche buffo».

«Ruttare è inamìssile» dichiarò il GGG. «Noi giganti mai si rutta».

«Ma con quella vostra bevanda, come si chiama...»

«... sciroppio».

«Con quel vostro sciroppio le bolle se ne andranno verso il basso, con conseguenze ben peggiori».

«Perché peggiori?» chiese il gigante corrugando la fronte.

«Perché» disse Sofia arrossendo leggermente, «se scendono invece di salire, usciranno per qualche altra parte con un rumore ancora più forte e sconveniente».

«Con un petocchio!» esclamò il GGG raggiante. «Noi giganti fa petocchi in continuazione! Un petocchio è un segno di gioia. È una musica per l'orecchio! È un marcio nuziale! Tu non mi può dire che un piccolo petocchio ogni tanto è proibito tra i popolli!»

«È considerato segno di grande maleducazione» disse Sofia.

«Ma anche tu fa dei petocchi qualche volta, no?»

«Tutti fanno dei petocchi, se così li chiamate. Petocchiano re e regine, i presidenti, le stelle del cinema e i neonati petocchiano. Ma là da dove vengo non è educato parlarne».

«Ma è radìcchiolo!» esclamò il GGG. «Se tutti petocchia, perché non parlarne? Adesso noi si prende un sorso di questo stupendo sciroppio e tu vedrà il felice risultato».

Il GGG scosse vigorosamente la bottiglia; il liquido verdastro cominciò subito a frizzare e a spumeggiare. Poi il gigante levò il tappo e mandò giù un'impressionante sorsata, con un gran gorgoglìo.

«È saltante!» esclamò. «Nevadomatto!»

Per qualche istante il Grande Gigante Gentile rimase immobile, mentre un'espressione estatica andava dipingendosi sul suo lungo volto rugoso. Poi, improvvisamente, scoppiarono a raffiche i

più sconvenienti e sonori crepitii che Sofia avesse mai udito in vita sua. Si ripercossero sulle pareti con un rotolìo di tuono, facendo tintinnare i barattoli di vetro sulle mensole.

Ma la cosa più impressionante fu che la forza dell'esplosione scaraventò letteralmente in aria l'enorme gigante, che si sollevò come un razzo.

«Ippy!» gridò quando ripiombò al suolo. «Ecco, tu ha visto che cos'è un petocchio!»

Sofia non poté trattenersi dal ridere.

«Prende un po' anche tu!» la invitò il GGG, volgendo verso di lei l'imboccatura dell'enorme bottiglia.

«Non ha un bicchiere?» chiese Sofia.

«Niente bicchieri. Solo la bottiglia».

Sofia aperse la bocca e il GGG inclinò delicatamente la bottiglia e le versò in gola un po' del favoloso sciroppio.

Allora, oh sì, che delizia! Era dolce e rinfrescante, con sapore di vaniglia o di crema e giusto un sospetto di lampone. E le bollicine erano meravigliose. Sofia le sentiva danzare e scoppiare dappertutto nel pancino. Era una sensazione straordinaria: le pareva che centinaia di minuscoli esserini si fossero messi a ballare la giga nel suo stomaco, solleticandola con i loro piedini. Era splendido.

«È splendido!» esclamò Sofia.

«Aspetta e vedrà» disse il GGG muovendo le orecchie.

Sofia sentì le bollicine discendere sempre più in basso nel pancino, e poi improvvisamente l'inevitabile si produsse. Le trombe suonarono e a sua volta Sofia fece rimbombare la caverna con un concerto di tuoni.

«Brava!» esclamò il GGG, agitando la bottiglia. «Benissimo, per una pivella! Su, un altro goccio!»

Viaggio nel Paese dei Sogni

Quando il folle party allo sciroppio ebbe termine, Sofia tornò a installarsi sul piano dell'enorme tavola.

«Ti sente meglio, ora?» chiese il Grande Gigante Gentile.

«Molto meglio, grazie» rispose Sofia.

«Tutte le volte che io mi sente un po' bacchiato» disse il GGG «io butta giù qualche gluck di sciroppio ed è di nuovo tutto pimpato».

«Devo riconoscere che si tratta di un'esperienza singolare» disse Sofia.

«Una vera sparapanzata» rincarò il GGG, «assai goduriosa». Attraversò a grandi passi la caverna e prese il suo aggeggio acchiappa-sogni. «Adesso io mi fa una bella galoppata a catturare qualche sogno turbo-volante per la mia collezione. Io lo fa tutti i giorni, senza eccezione. Ha tu voglia di venire con me?»

«Oggi no, grazie mille!» rispose Sofia. «Non con tutti quei giganti in agguato là fuori!»

«Io ti nicchia per benino nella tasca del mio giletto» propose il GGG. «Così nessuno ti può vedere».

Prima che Sofia avesse il tempo di protestare,

la sollevò dalla tavola e la infilò nella tasca del suo gilet, un posticino assai comodo. «Vuole tu che io ti fa un buchetto per occhiar fuori?» chiese il GGG.

«C'è n'è già uno» rispose Sofia. In effetti aveva trovato un bucolino nella tasca e, se vi applicava l'occhio, poteva seguire benissimo quel che succedeva fuori. Vide così il GGG riempire la valigia di barattoli di vetro vuoti, chiudere il coperchio, prendere la valigia con una mano, la canna con la rete con l'altra e dirigersi verso l'ingresso della caverna.

Appena fuori, il GGG si mise a correre sul vasto terreno giallastro, disseminato di rocce azzurre e di alberi morti, dove bighellonavano gli altri giganti.

Sofia, accoccolata sui talloni, nella tasca del gilet di cuoio, teneva l'occhio incollato al buchetto. Vedeva, qualche centinaio di metri davanti a lei, il gruppo mostruoso dei giganti.

«Trattiene il respiro!» mormorò il GGG. «Inchioccia le dita! Via! Ora si passa accanto a tutti quei giganti. Vede tu quello colossale, il più vicino a noi?»

«Lo vedo» mormorò Sofia con un brivido.

«È il più mostruoso di tutti, il più grande. Si chiama l'Inghiotticicciaviva».

«Non voglio saperne nulla!» disse Sofia.

«È alto quasi venti metri» spiegò il GGG mentre andava di corsa, «e ingolla due o tre popollani alla volta, come se fosse zollette di zucchero».

«Mi innervosisce» protestò Sofia.

«Anche io mi nerva» sussurrò il GGG; «quando l'Inghiotticicciaviva è nei paraggi, io salta come una cavalletta».

«E allora stiamo lontani» supplicò Sofia.

«Impossibile. È due volte più veloce che io».

«Forse è meglio che torniamo indietro».

«Peggio» disse il GGG. «Se vede che io scappa, tutti mi darà la caccia e mi butterà pietre».

«Ma, non la mangeranno mica, no?» chiese Sofia.

«I giganti non si ingorguzza mai fra loro. Si picchia e si baruffa spesso, ma mai si ingorguzza. Preferisce un uomo all'occhio!»

I giganti avevano già scorto il GGG e tutte le teste si volsero mentre lui proseguiva la sua corsa, con l'intenzione di sorpassarli da destra.

Attraverso il suo spioncino, Sofia poté vedere l'Inghiotticicciaviva avanzare per tagliar loro la strada. Se la prendeva comoda. Muovendosi con noncuranza, si portò in un punto da cui il GGG doveva per forza passare. Gli altri giganti lo seguivano indolenti. Sofia ne contò nove e tra essi riconobbe il San Guinario. Avevano l'aria di non sapere come passare il tempo attendendo che scendesse la notte. Si mossero nella pianura a lente falcate, dirigendosi minacciosi verso il GGG.

«Toh, chi si vede, il nanerottolo!» ruggì l'Inghiotticicciaviva. «Ehi, nanerottolo, dov'è che zampetta tu quiotto quiotto, filandotela all'inglese?» Tese un braccio smisurato e afferrò il GGG per i capelli. Ma lui non si ribellò, si limitò a fermarsi e a dire gentilmente: «Ti prega, lascia i miei capelli, illustre Inghiotticicciaviva!»

L'Inghiotticicciaviva lo mollò e arretrò di un passo. Gli altri giganti si erano disposti in cerchio, in attesa che cominciasse il divertimento.

«A noi, adesso, sputacchietto!» ruggì l'Inghiotticicciaviva. «Io ha vivo desiderio di sapere dove tu va galoppando ogni giorno in piena luce. Tu sa bene che è proibito, finché non arriva il buio: i popoli potrebbe avvistarti e lanciare una caccia al gigante, e noi non si vuole che accade!»

«Noi non si vuole!» gridarono gli altri giganti. «Torna nella tua caverna, nanerottolo!»

«Io non va da nessun popollo» protestò il GGG. «Io va da un'altra parte».

«E io non mi leva dalla testa che tu va a cacciare gente dei popoli per domesticarli!» disse l'Inghiotticicciaviva.

«Vero!» esclamò il San Guinario. «Poco fa io lo ha inteso cicaleggiare con qualcuno, nella caverna».

«Voi non ha che da frugare la mia caverna da testa a piedi» propose il GGG. «In tutti gli angioli e angioletti. Non c'è né uomo alla coque, né uomo in camicia, né uomo fritto, né uomo sodo».

Sofia se ne stava rintanata come un topolino, immobile, nella tasca del GGG. Non osava quasi respirare ed era terrorizzata all'idea che le venisse da starnutire. Il più piccolo rumore o movimento l'avrebbero tradita. Attraverso lo spioncino os-

77

servava i giganti stringersi intorno al povero GGG. Quant'erano disgustosi! Avevano tutti occhietti porcini e immense bocche a doppio salsicciotto. Mentre l'Inghiotticicciaviva parlava, poté vedere per un attimo la sua lingua: era di un nero giaietto, e sembrava un bel pezzo di bistecca. Ognuno di loro era grande almeno il doppio del GGG.

All'improvviso l'Inghiotticicciaviva tese le enormi manacce e afferrò il GGG per la vita. Lo sollevò e gridò, lanciandolo in aria: «A tu, Strizza-teste!»

Lo Strizza-teste l'afferrò al volo, mentre gli altri giganti si disponevano rapidamente in cerchio, a una ventina di metri l'uno dall'altro, preparandosi al gioco. Toccò poi allo strizza-teste lanciare il GGG in alto, gridando: «A tu, Crocchia-ossa!»

Il Crocchia-ossa si precipitò in avanti, afferrò il GGG che stava cadendogli addosso e lo rilanciò urlando: «A tu, Trita-bimbo!»

E così il gioco continuò: i giganti si passavano il GGG come un pallone, rivaleggiando a chi l'avrebbe lanciato più in alto. Sofia conficcò le unghie nella fodera della tasca, cercando di non venir sbalzata fuori quando si trovava a testa in giù. Si sentiva come in un barile che precipita

79

nelle Cascate del Niagara, a parte il rischio che qualche gigante mancasse il GGG e lo mandasse a sfracellarsi al suolo.

«A tu, Vomitoso!»

«A tu, Ciuccia-budella!»

«A tu, Spella-fanciulle!»

«A tu, San Guinario!»

«A tu...! A tu!... A tu!...»

Alla fine, il gioco venne loro a noia e abbandonarono al suolo il povero GGG malconcio e stordito. Gli diedero un altro paio di calci in aggiunta e gli gridarono: «E ora corre, nanerottolo! Mostraci come sa galoppare!» e il GGG corse. Cosa poteva fare? I giganti gli tiravano grossi massi, ma il GGG riuscì a evitarli. «Abortino mugugnoso!» gridavano. «Gamberetto rinseccolito! Nanerottolo di merda! Larva torva! Petocchio spetacchiato!»

Il GGG riuscì a guadagnare una bella distanza, e il gruppo dei giganti fu finalmente fuori vista. Sofia ne approfittò per far capolino dalla tasca. «Un episodio increscioso» commentò.

«Pfui!» esclamò il GGG. «Perla miseria! Loro era proprio di umor negro oggi, accidenti! Mi dispiace che ti è trovata in mezzo a tutto questo soprasotto!»

«Non dev'essere stato allegro neanche per lei» disse Sofia. «Potevano farle *veramente male*, no?»

«Chissà!» fece il GGG.

«Come fanno a prendere gli esseri umani che divorano?»

«Di solito loro passa semplicemente un braccio dalla finestra della camera e li stacca dal suo letto».

«Come ha fatto lei con me!»

«Sì, ma non ti ha mica mangiata».

«Usano anche qualche altro sistema?»

«Qualche volta loro sorge dal mare come pesci, solo con la testa, e poi salta fuori una grossa zampa pelosa e acchiappa qualcuno sulla spiaggia».

«Anche i bambini?»

«Soprattutto i babbini» assicurò il GGG, «babbini piccoli che costruisce castelli di sabbia sulla spiaggia. È i preferiti dei giganti nuotatori. Un babbino è più tenerello di una vecchia nonna, è quello che dice sempre il Trita-bimbo».

Mentre chiacchieravano così, il gigante stava percorrendo ampi tratti di pianura. Sofia ora si teneva in piedi nella tasca del gilet, reggendosi al bordo con le mani. Sporgeva con la testa e le spalle, e il vento le soffiava tra i capelli.

«E come fanno ancora?» chiese.

«Oh, ciascuno ha il suo metodo speciale per prendere i popollani» disse il GGG. «Il Vomitoso, per esempio, fa finta di essere un grande albero in mezzo a un parco. Sta piantato lì nel crescrùpolo tenendo le grosse braccia come rami sopra la testa, e aspetta che una lieta famigliola viene a fare un pio-nio sotto quel bell'albero fronzuto. Il Vomitoso li guarda spolverare il loro pio-nio, ma alla fine è lui che fa il pio-nio più grosso!»

«Ma è terrificante!» esclamò Sofia.

«Il Ciuccia-budella è un fanatico delle città» continuò il GGG. «Si piazza lungo disteso sui tetti delle case, immobile come un pescatore, e osserva i popollani che cammina per le strade sotto di lui. Quando ne vede uno che gli sembra succulabile, lo tira su: stende semplicemente un braccio e lo pizzica tra le dita, come una scimmia con una nocciolina. Dice che è molto piacevole disporre di un'ampia scelta tra pietapanze, che è come scegliere in un menu».

«E la gente non lo *vede* quando fa così?»

«Nessuno; non dimentica che è il crescrùpolo inoltrato. E inoltre, il Ciuccia-budella è rapidissimo. Il suo braccio si abbassa e risale come startufo».

«Ma se ogni notte sparisce una tale quantità di gente, qualcuno denuncerà l'accaduto!» disse Sofia.

«Il mondo è smisurato» rispose il GGG, «esiste centinaia di paesi diversi e i giganti è mica scemo, sta attento a non scapicollarsi troppo spesso nel medesimo posto. Loro bulina e mulina cambiando continuamente luoghi».

«Ma anche così...»

«Tu non dimentica» l'interruppe il GGG «che tra i popolli c'è tanta gente che scompare di continuo, anche *senza* che i giganti se li ciuccia. I popollani si fa fuori l'un l'altro molto più spesso di quanto i giganti li divora».

«Ma gli uomini non si *mangiano* reciprocamente» disse Sofia.

«Anche i giganti non si mangia tra loro» disse il GGG. «E loro nemmeno si *uccide*! I giganti non sarà educati, ma non si uccide tra loro. E neanche i cocodrindilli si uccide l'un l'altro, e i gattini non uccide gli altri gattini».

«Però i topi sì».

«Sì, ma lascia stare i loro concugini. I popolli della terra è i soli animali che uccide i suoi concugini».

«E i serpenti velenosi non si uccidono tra loro?» chiese Sofia. Cercava disperatamente di trovare qualche altro essere che si comportasse male quanto l'uomo.

«I serpenti verminosi non si uccide tra loro» disse il GGG. «E neanche gli animali più feroci, come le trigri e i rinocerotti. Nessuno di loro uccide il suo concugino. Ha tu mai pensato in questo?»

Sofia non rispose.

«Io non riesce a capire i popollani» riprese il GGG; «tu per esempio è una popollina e dice che i giganti è abominoso e monstrevole perché mangia la gente. Chiaro o scuro?»

«Chiaro».

«Ma i popollani si imbudella tutto il tempo tra loro, si sparapacchia coi fucili e va sugli aeropalmi per tirarsi bombe sulla testa ogni settimana. I popollani uccide per tutto il tempo gli altri popollani».

Aveva ragione. Era evidente che aveva ragione, e Sofia lo sapeva. Stava cominciando a chiedersi se davvero gli uomini fossero migliori dei giganti. «Tuttavia» disse, cercando di difendere nonostante tutto i suoi simili, «ciò non impedisce che sia riprovevole che quegli orribili giganti se ne vadano ogni notte a mangiare gli esseri umani. Gli uomini non hanno mai fatto loro nulla di male».

«È quello che dice ogni giorno anche il porcellino. Dice: "Io non ha fatto mai nulla di male agli uomini e allora, perché loro mi mangia?"»

«In effetti...»

«I popolli inventa regole che gli va bene, ma sue regole non va bene al porcellino. Chiaro o scuro?»

«Chiaro» ammise Sofia.

«Anche i giganti inventa regole, e le sue regole non va bene ai popolli. Ognuno fa regole che va bene solo a se stesso».

«Ma lei non è d'accordo che quei bruti di giganti mangino ogni notte gli esseri umani, vero?»

«No» rispose decisamente il GGG. «Un chiaro non basta per due scuri. Come va nella mia tasca?»

«Perfettamente».

Allora il GGG riprese la sua andatura magica: cominciò ad avanzare con balzi fenomenali e raggiunse una velocità incredibile. Il paesaggio si fece confuso e Sofia dovette abbassarsi per evitare che il vento, che le soffiava nelle orecchie, le staccasse la testa dal busto. Si rannicchiò, mentre il vento ululava come un uragano e s'infilava nel bucolino della tasca.

Ma questa volta il GGG non tenne a lungo il record della sua velocità. Andava fortissimo forse per superare gli ostacoli, un'alta montagna, un oceano o un deserto, ma poi rallentava e riprendeva il galoppo abituale. Sofia poteva allora affacciarsi e guardare il paesaggio.

Notò che ora si trovavano in un luogo dai colori sfumati. Il sole era velato da una nebbia di vapori e l'aria andava rinfrescandosi di minuto in minuto. Il terreno era piatto e senza alberi, sembrava privo di contorni.

Via via la nebbia si faceva più spessa e l'aria più fredda; ogni cosa impallidiva, e alla fine non rimasero che toni grigi e biancastri. Erano in un turbinìo di nebbie e di vapori spettrali. Il suolo era coperto da una sorta d'erba, ma non verde: piuttosto grigio cenere. Non c'era il minimo segno di vita, il minimo suono, tranne il rumore ovattato dei passi del GGG che correva nella nebbia.

Improvvisamente il GGG si arrestò. «Eccoci!» disse. Si chinò, tolse Sofia dalla tasca e la posò al suolo. Sofia indossava ancora la stessa camicina da notte ed era a piedi nudi. Rabbrividì, mentre le nebbie e i vapori fatati le turbinavano intorno.

«Dove siamo?» chiese.

«Nel Paese dei Sogni» rispose il GGG. «È qui che tutti i sogni nasce».

Caccia ai sogni

Il GGG posò la valigia al suolo e si chinò così in basso che il suo enorme viso venne a trovarsi vicinissimo a Sofia. «Da ora noi si sta zitti come topolini» le sussurrò.

Sofia annuì. I vapori nebbiosi le turbinavano intorno inumidendole le gote e lasciandole gocce di rugiada sui capelli.

Il GGG aperse la valigia, ne trasse i barattoli di vetro vuoti e li dispose al suolo dopo averne svitato i coperchi. Poi si drizzò e si erse in tutta la sua altezza. La sua testa, lassù tra le brume ondeggianti ove appariva e spariva, sembrava lontanissima. Con la mano destra il gigante reggeva la rete acchiappa-sogni.

Guardando in alto, Sofia vide tra le nebbie che le enormi orecchie del GGG si scostavano dalla testa con moto lento. Poi ondeggiarono piano, avanti e indietro.

Improvvisamente il GGG fece un balzo. Saltò in aria e manovrò la rete sibilante nella nebbia con un ampio movimento del braccio.

«Preso!» mormorò. «Il barattolo! Il barattolo! Presto, presto, presto!» Sofia sollevò un barattolo e glielo porse. Lui lo prese, abbassò la rete, poi con grande precauzione fece scendere

nel recipiente qualcosa di totalmente invisibile. Infine lasciò andare la rete e tappò rapido, con una mano, l'apertura del barattolo. «Il coperchio!» sussurrò. «Presto, il coperchio del barattolo!»

Sofia glielo diede. Il GGG lo avvitò stretto. Eccitatissimo, tenne il vetro contro l'orecchio e stette in ascolto.

«Ma è un ideuzzolo luminoso!» mormorò entuasiasta. «È... è... è... ancora meglio! È un lampo-di-genio, anzi un lampone!»

Sofia lo fissava.

«Che fortuna!» disse il GGG tenendo il barattolo davanti a sé. «Questo farà passare una notte di felicità a qualche babberottolo, quando io glielo avrà soffiato!»

«Ma è davvero un buon sogno?» chiese Sofia.

«Un buon sogno, un lampone-di-genio! Non se ne incontra spesso!» Tese il barattolo a Sofia: «E ora sta' più ferma di una stella di mare!» disse. «Io è pensando che forse c'è tutto uno sciame di lamponi-di-genio qui in giro. Per favore, tu adesso smette di respirare: tu fa un rumore d'inferno, laggiù!»

«Ma se non batto ciglio!» protestò Sofia.

«Continua così» disse seccamente il GGG. Di nuovo si drizzò nella nebbia, pronto con la sua rete. Ci fu un lungo silenzio. Il GGG stava in ascolto; poi, con rapidità sorprendente, spiccò un altro balzo facendo sibilare la rete.

«Un altro barattolo!» esclamò. «Presto presto presto!»

Quando il secondo sogno fu imprigionato nel barattolo, e il coperchio ben avvitato, il GGG vi avvicinò l'orecchio.

«Oh no!» esclamò. «Oh, che mi incendi un incidente! Che mi caschi l'occhio in piatto!»

«Che succede?» chiese Sofia.

«È un troglogoblo!» esclamò con voce piena di furore e di angoscia. «Oh poveri noi! Esse o non esse! Misiricordia! Ma è il trillo del diavolo!»

«Di che sta parlando?» chiese Sofia, vedendolo sempre più sgomento.

«C'è da diventare semi!» si lamentava il GGG brandendo il barattolo. «Tutta questa strada per cacciare dei dolci sogni d'oro, e cosa ti va a prendere?»

«*Cosa?*»

«Uno spaventoso troglogoblo! Un sogno molto molto brutto! Peggio: un *in-cubo*!»

«Ohi ohi, e adesso che facciamo?»

«Non me lo lascerà certo scappare!» disse il GGG. «Se no, andrà a far gelare il sangue a qualche povero cucciolotto. È uno spaventoso turpedone! Io lo distruggerà appena noi sarà tornati!»

«Sono orribili gli incubi» disse Sofia. «Ne ho avuto uno una volta e mi sono svegliata tutta in sudore».

«Con questo, tu ti sarebbe risvegliata tutta *in terrore*!» disse il GGG. «Ti avrebbe fatto saltare i denti fuori dalle gencive! Se questo in-cubo ti si mette dentro, il sangue si cambia in glaciazione e la tua pelle se ne scappa via a quattro zampe!»

«A questo punto?»

«Anche peggio! È uno spaventoso ippoghigno!»

«Prima aveva detto che era un troglogoblo»

«È un troglogoblo» disse il GGG esasperato, «ma è *anche* un turpedone e un ippoghigno! È tutti e tre in uno! Ah, come è contento di averlo rinchiuso! Ah, bestiaccia orrenda!» esclamò reggendo il barattolo e guardandoci dentro. «Mai più tu andrà a teorizzare quei poveri babberottoli dei popolli!»

Sofia, che stava anche lei guardando nel barattolo, esclamò: «Lo vedo! C'è qualcosa!»

«Certo che c'è qualcosa: tu sta vedendo uno spaventevole troglogoblo!»

«Ma aveva detto che i sogni sono invisibili».

«I sogni è invibisile finché non è prigionieri» spiegò il GGG. «Dopo perde un poco di invibisilità. Questo si vede molto chiaramente».

Infatti Sofia poteva distinguere, all'interno del barattolo di vetro, i contorni scarlatti di un grumo che sembrava fatto di gocce di benzina e bolle di gelatina. Il grumo si agitava violentemente, sbattendo contro le pareti del barattolo e cambiando continuamente forma.

«Si divincola in tutti i modi» disse Sofia, «cerca di saltar fuori! Finirà per rompersi in mille pezzi!»

«Più il sogno è terribile, e più diventa furioso quando è preso!» disse il GGG. «È come con gli animali selvaggi: se tu mette in gabbia un animale molto feroce, farà un tremendo torciglione. Se invece è un animale carino come un gallorichì o un gaiotorinco, per esempio, se ne starà tranquillo. I sogni è lo stesso. Questo è un terribile incubo paurificoso, guarda come si spiaccica contro il vetro!»

«Fa davvero paura».

«Io non mi piacerebbe che mi si infrutoli dentro in una notte scura».

«Neanche a me» disse Sofia.

Il GGG rimise il barattolo nella valigia.

«È tutto?» chiese Sofia. «Si va via?»

«Io è talmente soprasotto con questo ippoghignante turpedone troglogoblo» disse il GGG «che non ha più voglia di continuare. Per oggi la caccia ai sogni è stop».

Sofia riprese il suo posto nella tasca del gilet, e il GGG ripercorse la strada del ritorno molto in fretta. Quando riemersero dalla bruma e furono di nuovo nel torrido paesaggio giallastro, gli altri giganti, sparpagliati al suolo, erano profondamente addormentati.

Un troglogoblo
per l'Inghiotticicciaviva

«Loro si prende sempre almeno un quinto d'ora di riposo prima di galoppar via a caccia di popolli» disse il GGG. Si arrestò un momento per consentire a Sofia di godersi meglio la vista. «I giganti dorme solo di quinci in quindi, molto meno dei popolli della terra. Le genticchie va matte per dormire. Tu ha mai pensato che un uomo perde in camicia a dormire, se ha cinquant'anni, circa *venti* anni della sua vita?»

«In effetti non mi era mai passato per la mente» ammise Sofia.

«Sarà il caso che ti passa» consigliò il GGG. «Pensa un po': quell'uomo in camicia che dice che ha cinquant'anni, ne ha passati venti a dormire senza capire niente, senza fare niente, senza pensare a niente!»

«Un punto di vista curioso».

«Tu ha fatto cento. Quello che io cerca di spiegarti è che se uno dice che ha cinquant'anni, non ne ha cinquanta, ma solo trenta».

«E io?» chiese Sofia. «Io ne ho otto...».

«Tu non ha otto» disse il GGG, «i babà e i babbini degli uomini passa la metà della loro vita a dormire, così tu ha solo quattro».

«No, ne ho otto!» protestò Sofia.

«Tu *pensa* che ne ha otto» disse il GGG, «ma tu ha passato solo quattro anni della tua vita con gli occhietti aperti. E allora non ha che quattro anni e non contracariarmi. Le fraschine del tuo tipo non dovrebbe contracariare un vecchio assaggio come me che ha centinaia di anni di più».

«E i giganti quanto tempo passano a dormire?»

«Oh, loro non perde tempo a stronfiare. Due o tre ore pasta e avanzi».

«E lei quando dorme?»

«Oh, io dorme ancora meno, ogni morte di rapa».

Sofia, sbirciando dalla tasca, esaminò i nove giganti addormentati. Sembravano ancora più grotteschi di quand'erano svegli; stravaccati per la gialla pianura coprivano una superficie pari a un campo da football. La maggior parte giaceva sul dorso, con le enormi bocche spalancate, e muggiva come sirene da nebbia. Il fracasso era infernale.

All'improvviso il GGG fece un balzo in aria. «Corpo di mille tombe! Mi è appena venuta un'idea leguminosa!»

«Quale?»

«Aspetta! Tu te ne sta al balcone e ti tiene ben stretta la camicia, poi vedrà cosa io ti combina!»

E si precipitò nella caverna, mentre Sofia si reggeva forte al bordo del taschino. Spostò la pietra di lato ed entrò. Era eccitatissimo e si muoveva a scatti.

«Tu rimane nella mia tasca, pulcinella» disse, «ora si fa un bel cinquantotto, noi due insieme!»

Posò l'acchiappa-sogni, ma si tenne la valigia. Poi corse verso il fondo della caverna e afferrò la lunga tromba, quella che aveva con sé quando Sofia l'aveva visto per la prima volta al paese. Con la valigia in una mano e quell'arnese nell'altra si riprecipitò fuori della caverna.

Cosa avrà mai in mente? si chiedeva Sofia.

«Ti affaccia per bene» disse il GGG, «così ti godrà lo spettacolo dal palco!»

Quando furono vicini ai giganti addormentati, il GGG rallentò il passo e prese a muoversi con circospezione, avanzando in punta di piedi verso quei bruti che continuavano a ronfare a tutta birra. Il loro aspetto era davvero repellente, ripugnante, diabolico. Il GGG zampettava loro intor-

no; sorpassò il Ciuccia-budella, il San Guinario, il Vomitoso, il Trita-bimbo. Poi si arrestò: aveva raggiunto l'Inghiotticicciaviva. Lo indicò a Sofia, poi, chinandosi, scambiò con lei un'occhiata d'intesa.

S'inginocchiò al suolo e aperse con precauzione la valigia da cui trasse il barattolo di vetro dove stava rinchiuso il terribile troglogoblo da incubo.

Allora Sofia cominciò a intuire cosa sarebbe successo.

Uau!, pensò. Qui le cose si fanno serie.

Si accucciò più profondamente nella tasca, lasciando sporgere solo la fronte e gli occhi. Bisognava che si tenesse pronta a ritirarsi e a scomparire se le cose si fossero messe al peggio.

Ora non si trovavano che a tre metri dalla

faccia dell'Inghiotticicciaviva. I barriti che questi emetteva erano impressionanti; di tanto in tanto una grossa bolla si formava tra i suoi labbroni semiaperti, per poi scoppiare e inondargli la faccia di saliva.

Con grande precauzione il GGG svitò il tappo del barattolo e fece colare nella campana della tromba il troglogoblo scarlatto che si divincolava e si dibatteva. Poi accostò l'altra estremità alle labbra e diresse lo strumento dritto in faccia all'Inghiotticicciaviva. Inspirò profondamente, gonfiò le gote e *fffffff*, soffiò.

Sofia vide un lampo rossastro correre verso la faccia del gigante; per una frazione di secondo gli volteggiò sul viso, poi scomparve, forse risucchiato dal naso dell'Inghiotticicciaviva. Tutto s'era svolto in modo così rapido che Sofia non ne era del tutto sicura.

«E ora è meglio che noi si clipsa al sicuro» mormorò il GGG.

Balzellò via per un centinaio di metri, poi si fermò e si rannicchiò al suolo. «Adesso» disse «arriva i fuochi di dentifricio!»

Non dovettero attendere a lungo.

Ben presto il più spaventoso ruggito che Sofia avesse mai inteso squarciò l'aria, e si vide il corpo dell'Inghiotticicciaviva, in tutti i suoi venti metri, alzarsi dal suolo e ricadervi con un tonfo. Poi il gigante cominciò a contorcersi e a divincolarsi in modo convulso. Era uno spettacolo terrificante.

«Auhaaaa!» ruggiva il gigante. «Ahiouuuu!»

«Lui sta sempre dormendo» bisbigliò il GGG.

«È il terribile in-cubo troglogoblo che comincia ad agire».

«Gli sta bene!» disse Sofia. Non provava la minima compassione per quel bruto smisurato che ingoiava i bambini come zollette di zucchero.

«Aiuto!» gridava l'Inghiotticicciaviva dibattendosi come un demonio. «Mi insegue! Mi ha preso!»

Gambe e braccia si agitavano in modo sempre più violento. Era spaventoso vedere quella enorme creatura scossa da così terribili convulsioni.

«È Jack!» ruggiva l'Inghiotticicciaviva. «L'abominoso, spaventoso Jack! Jack mi piglia! Jack mi griglia! Jack mi bolle! Jack mi frolla! Jack mi lardella! Jack mi frittella! Jack mi squarta e mi sbudella!»

L'Inghiotticicciaviva si rotolava come un serpente mostruoso sottoposto a tortura.

«Oh, risparmiami, Jack!» gridava. «Jack, non farmi male!»

«Ma chi è mai questo Jack?» chiese Sofia in un sussurro.

«Jack è il solo popollano che terrorizza i giganti» disse il GGG. «Loro muore di paura di Jack. Tutti ne parla come del solo popollano che ha ucciso un gigante».

«Aiuto!» gridava l'Inghiotticicciaviva. «Jack, tu non ha pietà di un povero piccolo gigante! Oh, il suo gambo-di-fagiolo! Viene verso di me col suo terribile gambo-di-fagiolo! No, indietro! io ti supplica, Jack, io ti scongiura, non toccarmi col tuo tremendo gambo-di-fagiolo!»

«Noi giganti» confessò il GGG, «non conosce molto di questo terribile popollano chiamato Jack. Noi sa solo che è un famoso uccisore di giganti e che ha un'arma midiciale che si chiama gambo-di-fagiolo, con la quale uccide i giganti».

Sofia non poté impedirsi di sorridere.

«Che ridacchia tu?» chiese il GGG, un po' risentito.

«Ma è una fiaba» sussurrò Sofia. «*Jack e il fagiolo magico*, te la racconterò più tardi».

Il gigante in preda all'incubo si era come attorcigliato a furia di dibattersi.

«No, non farmi questo, Jack!» gridava. «Io non voleva mangiarti, Jack! Io non mangia mai la gente dei popolli! Io giura che io non ha mai

mai mangiato il più piccolo popollino in vita mia!»

«Bugiardo!» si indignò il GGG.

In quel momento un braccio dell'Inghiotticicciaviva, sbattendo di qua e di là, colpì in piena bocca il Vomitoso che stava dormendo profondamente. E nello stesso istante una delle sue gambe, scossa da movimenti convulsi, scattò in avanti, contro la pancia del Ciuccia-budella che gli russava al fianco. I due giganti si svegliarono e balzarono in piedi.

«Mi ha dato uno schiaffo sulla bocca!» strillò il Vomitoso.

«E a me mi ha dato un pugno in pancia!»
gridò il Ciuccia-budella.

Si precipitarono sull'Inghiotticicciaviva e cominciarono a martellarlo di pugni e calci. Il
disgraziato gigante si svegliò per cadere da un
incubo all'altro. Si slanciò ruggendo nella mischia
e, nella tempestosa e turbolenta rissa che seguì, anche gli altri giganti addormentati vennero
calpestati e presi a calci. Ben presto tutti e nove
furono in piedi e si lanciarono in una battaglia
senza esclusione di colpi: si davano pugni, calci,
zuccate, graffiandosi e mordendosi a più non
posso. Il sangue scorreva a fiumi, i nasi scroc-
chiavano, i denti cadevano come grandine, chi

ruggiva, chi gridava, chi imprecava: il rumore si udiva a miglia di distanza, nella gialla pianura.

Il GGG rise per la soddisfazione. «Io adora quando loro si impolpetta così» disse.

«Ma si ammazzeranno!»

«Mai» asserì il GGG. «Quei bruti si mena e si picchia sempre, ma poi viene buio e via che galoppa a riempirsi la pancia».

«Sono ignobili, volgari e ripugnanti!» disse Sofia. «Li odio!»

«Però» disse il GGG tornando alla caverna, «io ha ben utilizzato quel troglogoblo, no?»

«È stato straordinario» disse Sofia, «i miei complimenti».

Sogni

Il GGG era seduto presso la tavola, nella caverna, e lavorava con molto zelo. Sofia, accoccolata sul piano vicino a lui, lo guardava.

L'unico bel sogno che avevano catturato quel giorno era ben chiuso nel suo barattolo, posato poco lontano.

Con grande cura e pazienza il GGG, munito di un'enorme matita, scriveva qualcosa a stampatello su un pezzo di carta.

«Che sta scrivendo?» gli chiese Sofia.

«Ogni sogno deve avere la sua etichetta incollata sul barattolo» spiegò il GGG, «altrimenti come potrebbe io ritrovarlo quando ha fretta?»

«E può davvero riconoscere a colpo sicuro di che genere di sogno si tratta, solo ascoltandolo?» chiese Sofia.

«Certamente» disse il GGG senza levare lo sguardo.

«Ma come fa? È la maniera in cui ronza che glielo dice?»

«È meno o più così» rispose il GGG. «Ogni sogno ha la sua particolare musica ronzinante, e le mie formidose grandi orecchie può cogliere questa musica».

«Per musica, intende dire melodia?»

«No, io non intende melodia».

«Allora, che vuol dire?»

«I popolli della terra ha la loro musica, chiaro o scuro?»

«Chiaro» disse Sofia. «Musica di tutti i tipi».

«E qualche volta i popolli della terra va in estasi quando ascolta una musica sublime: come un fremito che scende per la colomba vertebrale. Chiaro o scuro?»

«Chiaro».

«Dunque, la musica dice loro qualche cosa, manda un massaggio. Io non crede che i popolli della terra sa che tipo di massaggio è, ma gli piace lo stesso».

«Penso di sì».

«Beh, grazie alle mie orecchie miralobanti, io non è solo capace di *sentire* la musica dei sogni, ma anche di *capirla*».

«Capirla come?»

«Io la legge, lei mi parla. È come un linguaccio».

«Mi risulta un po' difficile crederlo».

«Io è sicuro che ti è anche difficile credere agli alienati, e che loro ci viene a visitare dalle altre stelle».

«Certo che non ci credo» disse Sofia.

Il GGG la fissò gravemente con i suoi occhi immensi. «Spero che tu mi perdonerà se io ti dice che i popolli della terra crede di essere molto intelligenti, ma non lo è. Loro è tutti dei sadipoco o dei sadiniente».

«Sarebbe?»

«Il problema con i popollani è che loro rifiuta di credere alle cose finché non ci sbatte contro il muso. Certo che gli alienati esiste, io li incontra spessissimo e ci si scambia quattro chicchere».

Detto questo, volse ostentatamente le spalle a Sofia e riprese a scrivere. Sofia si sporse per leggere quel che lui aveva già scritto; le lettere erano grandi e marcate, ma di una forma discutibile. Ecco quel che Sofia lesse:

QUESTO SOGNO È DI IO CHE SALVA IL MIO PROFESSORE CHE STAVA NEGANDO. IO SALTA NEL FIUME DA UN ALTO PONTE E TRASCINA IL MIO

«Boccia come?» chiese Sofia.

Il GGG smise di scrivere e sollevò lentamente la testa. I suoi occhi si posarono sul volto della bambina. «Io ti ha già detto una volta» disse pazientemente «che non ha mai potuto andare a scuola. Io è pieno di sbagli, ma non è colpa mia, io fa del mio meglio. E anche tu, è una simpatica babbina, ma ricorda che non è poi la signorina Satutto».

«Mi dispiace davvero» disse Sofia. «È disdicevole da parte mia continuare a correggerla».

Il GGG la contemplò ancora un attimo, poi riabbassò la testa e riprese la sua laboriosa scrittura.

«Mi dica onestamente» chiese Sofia, «se lei soffiasse questo sogno nella mia stanza mentre dormo, sognerei davvero di salvare il mio professore che sta per annegare, gettandomi da un ponte?»

«Di più, molto di più» assicurò il GGG. «Ma

io non può speficicare tutti i particoli di un sogno su un minuscolo pezzetto di carta. Succede un sacco di altre cose».

Il GGG posò la matitona sulla tavola e incollò un orecchio contro il vetro del barattolo. Per circa trenta secondi ascoltò attentamente. «Sì» confermò, scuotendo solennemente la grande testa. «Questo sogno ha un gran bel seguito e una fine doravigliosa».

«Come finisce?» chiese Sofia. «Per favore, me lo racconti!»

«Tu avrebbe sognato che il giorno dopo che tu ha salvato il tuo professore dal fiume, tu arriva a scuola e vede tutti gli altri cinquecento scolari riuniti insieme con i professori, e c'è anche il direttore che si alza e dice: "Io invita tutta la scuola a gridare tre volte hurrà per Sofia, che ha avuto il coraggio di salvare la vita al nostro eccellente professore di aritmetica, il signor Figgins, che era stato malauguriatamente spinto dal ponte dalla nostra professoressa di ginnastica, la signorina Amelia Upscotch. Per Sofia: Hip! Hip! Hip! Hurrà!" E allora tutta la scuola come pazza grida hurrà, e bravo, e ben fatto, e dopo di questo il professor Figgins ti darà per sempre dieci su dieci e scriverà *Molto bene, Sofia* sul tuo quadreno di esercizi, anche se le tue addizioni sarà completamente pasticcate. E qui tu ti sveglierà».

«Carino, questo sogno» disse Sofia.

«Certo che è carino, è un lampone-di-genio» disse il GGG.

Leccò il retro dell'etichetta e la incollò sul barattolo.

«Di solito io scrive più cose sulle etichette» spiegò, «ma oggi tu mi guarda e mi fa nervoso».

«Posso andare a sedere da qualche altra parte» propose Sofia.

«No, no, resta là: se tu guarda con attenzione nel barattolo tu potrà vedere il sogno».

Sofia scrutò nell'interno del barattolo e riuscì a distinguere la sagoma trasparente di qualcosa che sembrava un uovo di gallina. Il sogno aveva un tono di colore verde pallido, tenue e luminoso, di grande bellezza. Una piccola forma oblunga e gelatinosa giaceva sul fondo del barattolo, percorsa da lievi pulsazioni che le imprimevano un movimento regolare, però quasi impercettibile, come un respiro delicato.

«Si muove!» esclamò Sofia. «È vivo!»

«Certo che è vivo».

«Che cosa gli dà da mangiare?»

«Non ha bisogno di cibo».

«Ma è una crudeltà: ogni cosa vivente ha bisogno di nutrirsi. Anche gli alberi e le piante».

«Il vento del Nord è vivo» disse il GGG, «si muove, ti accarezza le gote e le mani, eppure nessuno lo nutre».

Sofia rimase in silenzio; quello straordinario gigante le confondeva le idee. Sembrava iniziarla a misteri che andavano oltre la sua capacità di comprensione.

«Un sogno non ha bisogno di niente» continuò il GGG; «se è un buon sogno aspetterà pazientemente che lo si liberi perché possa fare il suo lavoro. Se è un sogno cattivo, farà di tutto per cercare di scappare».

Il GGG si alzò, si diresse verso uno dei tanti scaffali e pose il barattolo tra le migliaia d'altri.

«Potrei vedere qualche altro sogno?» pregò Sofia.

Il GGG esitò. «Nessuno li ha mai visti» disse, «ma forse io ti lascerà gettare un'occhiatina». La sollevò dalla tavola, la pose sul palmo della mano e la condusse verso gli scaffali.

«Qui c'è qualche bel sogno: è tutti lamponi-di-genio».

«Può portarmi più vicino, così che possa leggere le etichette?» chiese Sofia.

«Le etichette dice assai poco, di solito i sogni è molto più lunghi. Le etichette mi serve solo per memoria».

Sofia cominciò a leggere le scritte. La prima era lunga, si svolgeva sulla superficie esterna e Sofia, per leggerla, dovette far ruotare il barattolo. Diceva così:

OGGI IO STA SEDUTA IN CLASSE E SCOPRE CHE SE IO FISSA MOLTO A FONDO LA MIA PROFESSO-RESSA IN UNA MANIERA TUTTA SPEZIALE, IO È CAPACE DI FARLA ADDORMENTARE. ALLORA IO LA GUARDA FISSAMENTE E LA TESTA LE CADE SULLA CATTEDRA E LEI SI ADDORMENTA E SI METTE A STRONFIARE MOLTO FORTE. POI IL DI-RETTORE ENTRA NELLA CLASSE E GRIDA: "SI SVEGLIA, SIGNORINA PLUMRIDGE! DA QUANDO SI

DORME IN CLASSE? VADA A PRENDERE IL SUO CAPPELLO E IL SUO CAPPOTTO E SI RITENGA LICENZIOSA!" MA SUBITO IO FA ADDORMENTARE ANCHE IL DIRETTORE CHE CADE LENTAMENTE A TERRA COME UN PEZZO DI GELATINA E RIMANE LÌ IN UN MUCCHIETTO CHE STRONFIA ANCORA PIÙ FORTE DELLA SIGNORINA PLUMRIDGE! ALLORA IO SENTE LA VOCE DELLA MAMMA CHE MI DICE ALZATI LA COLLEZIONE È PRONTA.

«Che sogno matto» disse Sofia.

«È un tintinnarello» spiegò il GGG, «un sogno suonarino».

Sofia poteva scorgere il sogno ipnotizzatore posato tranquillamente sul fondo, sotto l'etichetta. Anch'esso era color verde-mare e animato da deboli pulsazioni, ma sembrava un po' più grande dell'altro.

«Ha sogni diversi per bambini e bambine?» chiese Sofia.

«Certamente» rispose il GGG. «Se io dà un sogno da babbina a un babbino, anche se è un sogno divinissimo lui si sveglierà dicendo che cretinoso d'un sogno stupidente».

«Sì, i ragazzi fanno così».

«In questo scaffale c'è solo sogni da babbine».

«Potrei vedere un sogno da bambino?»

«Può» disse il GGG, sollevandola fino a uno degli scaffali più alti.

La più vicina etichetta del barattolo che conteneva un sogno da ragazzo diceva:

IO MI HA FABBRICATO UN MAGNIFICO PAIO DI SCARPE A VENTOSA E QUANDO IO LE METTE IO È CAPPACE DI CAMMINARE SBIECATO SUL MURO DELLA CUCINA E ANCHE SUL SOFFRITTO. IO STA PROPRIO CAMMINANDO CON LA TESTA IN GIÙ SUL SOFFRITTO QUANDO ENTRA LA MIA SORELLA GRANDE E COMINCIA A SGRIDARMI COME FA SEMPRE COSA IO FA LÀ A CAMMINARE SUL SOFFRITTO. ALLORA IO LA GUARDA, SORRIDE E LE DICE: "TU MI FA SEMPRE VENIRE IL SANGUE ALLA TESTA, BENE, ADESSO IO CE L'HA DAVVERO".

110

«Lo trovo un po' scemo, questo sogno» osservò Sofia.

«Un ragazzo no» ridacchiò il GGG. «È un altro tintinnarello. Forse adesso tu ne ha abbastanza».

«Mi piacerebbe leggere ancora un sogno da bambino» pregò Sofia.

Un'altra etichetta diceva:

IL TELESUONO SUONA E MIO PADRE RISPONDE CON LA SUA VOCE SERIA DA TELESUONO E DICE: "PRONTO, QUI SIMPKINS". POI DIVENTA TUTTO PALLIDO E FA CON UNA VOCE BUFFA: "CHI? COME?" E POI: "SÌ, SIGNOR PRESIDENTE, IO CAPISCE SIGNOR PRESIDENTE, MA PROBABILMENTE È ME CHE CERCA, NON MIO FIGLIO!" ALLORA IL VISO DI MIO PADRE PASSA DAL BIANCO AL VIOLENTO E SOFFOCA COME SE AVESSE UN GAMBERO FICCATO IN GOLA E FINALMENTE DICE "SÌ SIGNOR

PRESIDENTE, BENISSIMO SIGNOR PRESIDENTE, IO LO VA A CHIAMARE SIGNOR PRESIDENTE", POI SI GIRA VERSO DI ME E MI DICE CON VOCE MOLTO ROSPETTOSA: "TU CONOSCE IL PRESIDENTE DEGLI STATI UNITI?" E IO RISPONDE: "NO, MA CERTO VOLEVA PARLARE CON ME", E DOPO IO HA UNA LUNGA CONVERSIONE AL TELESUONO E DICE COSE COME: "IO PREFERISCE OCCUPARMENE IO STESSO, SIGNOR PRESIDENTE, SIUPERÀ TUTTO SE FARÀ DI SUA TESTA". E MIO PADRE HA GLI OCCHI CHE GLI SCHIZZA VIA, E IN QUEL MOMENTO IO SENTE LA VERA VOCE DI MIO PADRE CHE MI DICE: "TI ALZA, RAZZA DI SCALDAFATICHE, CHE DOPO TU FA TARDI A SCUOLA!"

«I ragazzi sono tutti matti» disse Sofia. «Mi lasci leggere ancora un sogno!» E lesse:

IO STA FACENDO IL BAGNO E SCOPRE CHE SE IO PREME MOLTO FORTE SUL MIO IMBILICO, IO SENTE QUALCOSA DI MOLTO STRANO E SUBITO I MIEI BRACCI E LE MIE GAMBE NON C'È PIÙ. ANZI, IO È DIVENTATO COMPLETAMENTE INVIBISILE DAPPERTUTTO. IO È SEMPRE LÀ, MA NESSUNO MI PUÒ VEDERE, NEANCHE IO MI PUÒ VEDERE. ED ECCO CHE LA MIA MAMMA ENTRA E DICE: "DOV'È IL MIO CICCIO? ERA NELLA VASCA UN MINUTO FA, E NON PUÒ AVER GIÀ FATTO IL BAGNO!" ALLORA IO DICE: "IO È QUI!", E LA MIA MAMMA DICE: "DOVE QUI?" E IO RISPONDE: "QUI" È LEI SI METTE A GRIDARE: "ENRICO, VIENE QUI, PRESTO!" E QUANDO IL MIO PAPÀ SI PREPICITA IN BAGNO, IO STA LAVANDOMI E LUI VEDE IL SAPO-

NE CHE VOLA PER ARIA, MA NON VEDE ME E GRIDA: "DOVE TU È, FIGLIOLO?" E IO RISPONDE: "QUI", E LUI DOMANDA: "DOVE?" E IO RISPONDE: "QUI!" E ALLORA LUI DICE: "IL SAPONE, IL SAPONE, VOLA!". POI IO PREME DI NUOVO SUL MIO IMBILICO E TORNA VIBISILE. IL MIO PAPÀ È TUTTO SOPRASOTTO E DICE: "ALLORA TU È IL BABBINO INVIBISILE!" E IO DICE: "ORA CI SI DIVERTE UN PÒ!" COSÌ, QUANDO IO ESCE DALLA VASCA E MI È BEN ASCIUGATO, IO MI METTE LA VESTAGLIA E LE PANTOLOFE, PREME DI NUOVO SUL MIO IMBILICO PER DIVENTARE INVIBISILE; POI IO ESCE E PASSEGGIA PER LA STRADA. NATURALMENTE IO È INVIBISILE, MA NON QUELLO CHE HA ADDOSSO E QUANDO IL POPOLLO VEDE UNA VESTAGLIA E DELLE PANTOLOFE CHE CAMMINA DA SOLE, È IL PANICO E TUTTI GRIDA: "UN FANTASMA! UN FANTASMA!", E I POPOLLI GRIDA IN TUTTI GLI ANGIOLI E DEI COSTOLONI DI POLIZIOTTI SCAPPA QUANDO VEDE QUESTO, E ANZI IO VEDE IL MIO PROFESSORE D'ALGEBRA CHE ESCE DA UN BAR E IO VA VERSO DI LUI CON LA MIA

VESTAGLIA CHE VOLA IN ARIA E IO GLI FA:
"BUH!", E LUI GRIDA COME PAZZO E CORRE DI
NUOVO NEL BAR E QUI IO MI SVEGLIA CONTENTO
COME UN CANARINO.

«Ma è ridicolo!» esclamò Sofia, tuttavia non
si trattenne dal premere forte sul proprio ombeli-
co per vedere se succedeva qualcosa. Ma non
successe niente di speciale.

«I sogni è una cosa molto misteriosa» disse il
GGG, «nessuno può spiegarli, neanche i professori con un cervello grande così. Tu ha visto
abbastanza?»

«Per favore, ancora uno! Quello laggiù». E
Sofia cominciò a leggere:

IO HA SCRIVUTO UN LIBRO CHE È COSÌ APPAS-
SIONANTE CHE NESSUNO PUÒ SMETTERE DI LEG-
GERE. QUANDO UNO HA LETTO LA PRIMA RIGA È
COSÌ RAPITO CHE DEVE CONTINUARE FINO AL-
L'ULTIMA PAGINA. DAPPERTUTTO NELLE CITTÀ I
POPOLLANI SI URTA UNO CON L'ALTRO PERCHÈ
HA IL NASO FICCATO NEL MIO LIBRO E I DENTISTI
LO LEGGE STRAPPANDO I DENTI MA A NESSUNO
GLI IMPORTA PERCHÉ ANCHE SULLA POLTRONA
DEL DENTISTA LA GENTE LEGGE IL MIO LIBRO.
GLI AUTOMOBALLISTI LEGGE GUIDANDO E LE
AUTO SI SCONTRA IN TUTTO IL MONDO. I MEDICI
DEL CERVELLO LO LEGGE OPERANDO I CERVELLI
E I PILOTI LO LEGGE PILOTANDO AEREI E COSÌ VA
A TOMBUCTÙ INVECE CHE A LONDRA. I CALCIA-
TORI LEGGE IL MIO LIBRO SUL CAMPO PERCHÉ
NON PUÒ STACCARSI E ANCHE I CORRIDORI ALLE

OLIPIATTI MENTRE CORRE. TUTTI VUOLE SAPERE COSA SUCCEDE LA PAGINA DOPO E QUANDO IO MI SVEGLIA IO È ANCORA TUTTO ECCITATO PERCHÉ È IL PIÙ GRANDE SCRITTOIO DI TUTTI I TEMPI FINCHÉ LA MAMMA ENTRA IN CAMERA E MI DICE CHE HA LETTO IERI SERA IL MIO COMPITO DI ITALIANO E CHE IO FA ERRORI DI ORTOGRAFFIA MOSTRUOSI E CHE IGNORA LA PUNTINERIA.

«Per ora basta» disse il GGG. «Ce n'è dimilioni d'altri ma mi fa male il braccio a forza di tenerti su».

«E quelli in basso che sogni sono?» chiese Sofia. «Perché hanno etichette così piccole?»

«Questo succede perché certi giorni io prende tanti di quei sogni che non ha il tempo e la forza di scrivere delle etichette lunghe» spiegò il GGG; «allora scrive solo per ricordarmi cosa c'è nel barattolo».

115

«Posso darci un'occhiata?»

Il GGG, facendo mostra d'una grande pazienza, la portò verso i barattoli da lei indicati. Così Sofia poté leggere, una etichetta dopo l'altra:

IO MI ARRAMPICA SUL MONTE EVERAST SOLA CON IL MIO GATTO.

IO INVENTA UN'AUTO CHE VA A DENTIFRICIO.

IO È CAPACE DI ACCENDERE E SPEGNERE LE LAMPADE ELETTRICHE COL PENSIERO.

IO È UN PICCOLO BABBINO DI OTTO ANNI MA IO HA GIÀ UNA BELLA BARBA FOLTA E TUTTI I RAGAZZI SONO GIALLOSI.

IO È CAPACE DI SALTARE DA QUALSASSI FINESTRA ANCHE SE È ALTISSSIMA E DI VOLARE GIÙ SENZA FARMI MALE.

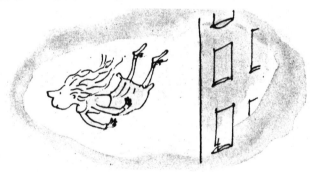

IO HA UN'APE AMICA MIA CHE SUONA IL ROCCO END ROLLO QUANDO VOLA.

«Quello che mi stupisce» disse Sofia, «è come lei abbia potuto imparare a scrivere».

«Ah! Eccoci! Mi chiedeva quanto tu ci avrebbe messo a farmi questa domanda».

«È straordinario che lei ci sia arrivato senza andare a scuola. Ma come ha fatto?»

Il GGG attraversò la caverna e aperse una porticina segreta. Prese un vecchio libro consunto: per occhi umani era un libro normale, ma in mano sua aveva l'aspetto di un francobollo.

«Una notte» disse il GGG, «io stava soffiando un sogno da una finestra e improvvisamente ha visto questo libro posato sul comodino, accanto al letto di un babbino. Ne avrebbe avuto voglia di prenderlo, te lo confessa, ma mai e poi mai l'avrebbe rubato. Io non farebbe per niente al mondo una cosa simile».

«E allora, com'è che l'ha avuto?»

«Io l'ha *preso in prestito*» sorrise il GGG; «l'ha imprestato per un pochino».

«Quanto tempo fa?»

«Oh, da non più di ottant'anni, e tra poco lo restituirà da dove l'ha preso».

«E come ha imparato a scrivere?»

«Io l'ha letto e riletto centinaia di volte» spiegò il GGG, «e ogni volta che lo rilegge impara qualche parola nuova che mi esercita a scrivere. È una storia smaccheramellosa!»

Sofia prese il libro dalla mano del gigante: «*Nicholas Nickleby*» lesse ad alta voce.

«Di Dahl's Chickens» precisò il gigante.

«Di chi?»

All'improvviso il frastuono di una terrificante galoppata risuonò davanti alla caverna.

«Che succede?» chiese Sofia.

«È i giganti che si scapipolla per andarsi a rimpizzare di popollani».

Ficcò Sofia nel taschino del gilet, si affrettò all'entrata della caverna e rimosse l'enorme pietra che la ostruiva.

Sofia incollò l'occhio al buchetto della tasca e vide i nove disgustosi giganti che trottavano di gran carriera.

«Dove va voi di bello stasera?» chiese il GGG.

«Si fa una puntarella in Inghilterra» rispose l'Inghiotticicciaviva, mentre il resto del branco si scapicollava davanti all'ingresso della caverna. «L'Inghilterra è un popollo smaccheramelloso, e noi si ha una gran voglia di farci un po' di babbini inglesi».

«Io» gridò lo Spella-fanciulle «conosce una bombonierina piena di babbine, e mi scarterà un bel mucchio di caramelle!»

«E io» esclamò il Ciuccia-budella «conosce una scatola a sorpresa piena di babbini, e tutto

119

quello che deve fare è di stendere la mano e di prenderne una manciata. I babbini inglesi è tutti wischiosi!»

Qualche minuto più tardi i nove giganti erano scomparsi.

«Che cosa intendevano dire?» chiese Sofia facendo capolino dalla tasca. E aggiunse: «Che cos'è una bombonierina?»

«Intendeva un collegio femminile: si divorerà una confezione gigante di babbine!»

«Oh, no!»

«E anche di babbini, in un'altra scuola» aggiunse il GGG.

«Bisogna impedirglielo!» esclamò Sofia. «Bisogna fermarli! Non possiamo restare inattivi».

«Non c'è niente da fare» sospirò il GGG. «Noi è inutili come una piuma di cavallo!»

Si sedette su una roccia scoscesa dalle sfumature bluastre, accanto all'ingresso della caverna, tolse Sofia dalla tasca e se la posò vicina, sulla roccia.

«Ora tu può restartene fuori tranquilla finché loro non torna» disse.

Il sole era scomparso sotto la linea dell'orizzonte. Scendeva la notte.

La grande trovata

«Bisogna *assolutamente* fermarli!» insistette Sofia. «Presto, mi rimetta in tasca, li inseguiremo e avvertiremo tutti in Inghilterra che stanno arrivando!»

«Radicchiolo e un po' sibile» disse il GGG. «Loro va due volte più svelti di me e si sarà già tutti ingozzati prima che noi è a metà strada».

«Ma non possiamo star qui senza far niente!» esclamò Sofia. «Quanti bambini e bambine potranno mangiarsi stanotte?»

«Apparecchi» rispose il GGG. «L'Inghiotticicciaviva soltanto ha un appetito devorastante e famelecco».

«E strapperanno i bambini dai loro letti mentre dormono?»

«Come i piselli dal loro battello».

«Non posso sopportare quest'idea!»

«E allora tu non ci pensa. Per anni e anni io mi è seduto su queste rocce, ogni sera, al momento in cui loro scatta, e ogni sera mi sentiva tristissimo pensando ai popoli che loro avrebbe divorato. Ma poi ha dovuto farci la bitudine. Non c'è niente che io può fare. Se io non era un ratichico aborto di gigante di sette metri, avrebbe potuto fermarli. Ma così è assolutamente fuori di scossone».

«Conosce sempre il luogo dove si dirigono?»

«Sempre, ogni sera, mi grida dove sta caracollando. L'altro giorno mi ha annunciato: "Si va da Miss Issipi e da Miss Uri per ciucciarcele tutte e due!"».

«Ma è disgustoso!» esclamò Sofia. «Li detesto!»

I due rimasero seduti vicini sulla roccia azzurra, nel crepuscolo. Mai, in tutta la sua vita, Sofia si era sentita così disperata. A un tratto si alzò e gridò:

«Non lo sopporto! Pensi a quei poveri bambini e bambine che tra poche ore saranno divorati! Non possiamo rimaner qui fermi! Dobbiamo inseguire quei bruti!»

«No» disse il GGG.

«Dobbiamo!» gridò Sofia. «Perché non vuole?»

Il GGG sospirò e scosse risoluto il capo. «Io te l'ha già spiegato cinque o sei volte, e la terza sarà l'ultima: io non mi farà vedere *mai* dai poppollani».

«Ma perché?»

«Perché loro mi metterebbe nello zoo con l'ippopot'amo e il cocodrindillo!»

«Sciocchezze».

«E poi loro ti rimanderebbe dritta a fare la zolfanella. I popollani della terra non è famosi per la loro gentilezza: è tutti dei rigenerati e dei marciumi a grumi».

122

«Ma non è vero!» protestò Sofia. «Qualcuno ce n'è, di gentile!»

«Chi per esempio? Dice a me un nome».

«La Regina di Inghilterra; non potrà dire che lei è marcia e degenerata!»

«Boh...» mormorò il GGG.

«E neanche potrà dire di lei che è una sadipoco e sadiniente!» aggiunse Sofia, sempre più in collera.

«È tanto che l'Inghiotticicciaviva ha voglia di papparsela» disse il GGG con un sorrisetto.

«*Chi*, la Regina?» fece Sofia, fuori di sé.

«Proprio. L'Inghiotticicciaviva dice non ha mai mangiato una regina, e che deve essere particolamente smaccheramellosa».

«Ma è pazzo!»

«Però l'Inghiotticicciaviva dice che c'è troppi soldati intorno al palazzo e che non ha il cuoraggio di raschiare».

«Vorrei vedere!»

«Dice anche che gli piacerebbe sbaffarsi un paio di soldati nella loro bella uninforme rossa, ma ha paura che quel loro berretto col baco a peli neri gli va di traverso».

«Spero che si strozzi!»

«L'Inghiotticicciaviva è un gigante molto prudente» assicurò il GGG.

Sofia rimase in silenzio per qualche istante. Poi, eccitatissima, gridò: «Ho trovato! Evviva! Questa volta ci siamo!»

«Che cosa ha trovato?»

«La soluzione! Una trovata fantastica! Andremo dalla Regina! Se andiamo dalla Regina e le raccontiamo di questi disgustosi giganti mangiatori d'uomini, sono sicura che troverà il rimedio!»

Il GGG la fissò tristemente e scosse la testa. «Non ti crederà mai, neanche se le dà la tua parola d'orrore».

«Sono sicura di sì».

«Mai!» insisté il GGG. «È una storia così

inveromissile, che la Regina scoppierà dal ridere e dirà: "Che luride balle!"»

«Non si esprimerebbe mai così, la Regina».

«Certo che si spremerà. Io ti ha già spiegato che i popolli della terra semplicemente *non crede* ai giganti».

«E noi faremo in modo che ci creda».

«E come farà tu ad arrivare alla Regina?»

«Un momentino, solo un momentino, mi sta venendo un'altra idea straordinaria!»

«Le tue idee è completamente strappalate».

«Questa no. Lei crede che, se raccontiamo questa storia alla Regina, la Regina non la crederà?»

«Mai e poi mai».

«E allora noi non gliela raccontiamo» continuò Sofia sempre più esaltata, «non ce ne sarà bisogno, perché lei *la sognerà*!»

«Questa è un'idea ancora più insassata: i sogni è una bella cosa, ma nessuno li prende per veri. Tu ci crede solo mentre sta sognando, ma quando tu ti sveglia dice: "Oh, malemeno, era solo un sogno!"»

«Non si preoccupi, a questo si rimedia» assicurò Sofia.

«Non c'è rimedio» disse il GGG.

«Sì, c'è! Le garantisco che ci riusciremo. Ma prima di tutto devo chiederle una cosa fondamentale: è possibile far sognare a qualcuno ciò che si vuole?»

«Io può farlo di sicuro» rispose orgogliosamente il GGG.

125

«Se io, per esempio, volessi sognare di trovarmi in una vasca da bagno volante con le ali d'argento, lei ci riuscirebbe?»

«Certamente».

«Ma come? Non mi dirà che ha proprio questo sogno nella sua collezione!»

«No, però io può fare una mescolanza».

«In che senso?»

«È un po' come fare un dolce: se tu mescola le giuste quantità di quello che occorre, tu ottiene qualsiasi tipo di torta: zuccottato, glissato, lamponato, natalizzato o babàrummato. E lo stesso è per i sogni».

«Mi spieghi meglio».

«Io ha milmilioni di sogni sui miei scaffali, chiaro o scuro?»

«Chiaro».

«Io ha sogni di vasche da bagno, moltissimi; io ha sogni di ali d'argento, e sogni di volare. Basta che io mescola questi sogni insieme nel giusto modo ed è uno screzo fare un sogno dove tu vola in una vasca da bagno con le ali d'argento».

«Non sapevo che si potessero mescolare i sogni».

«I sogni *adora* essere mescolati» assicurò il GGG, «si sente soli nel suo barattolo di vetro».

«Perfetto» disse Sofia. «Allora ha qualche sogno sulla Regina d'Inghilterra?»

«Pieno».

«E sui giganti?»

«Ti figura!»

«E sui giganti che divorano le persone?»

«A biffezze».

«E su bambine come me?»

«Questi è i più comuni: io ha barattoli e barattoli di babbine».

«E potrebbe mescolarli come le indicherò?» chiese Sofia sempre più ansiosa.

«Naturale; ma a che servirà? Io crede che tu è una fuoristrada».

«Per favore, mi lasci parlare: vorrei che mi fabbricasse un sogno da soffiare nella camera da letto della Regina d'Inghilterra, mentre dorme. Ed ecco quel che succederà...»

«Frena, babbina, frena! Come tu pensa che si può andare così vicino alla camera della Regina che io le soffia il mio sogno? Tu dice stupidezzi!»

«Glielo spiegherò più tardi. Per ora la prego di ascoltarmi attentamente: il sogno che vorrei fabbricare è questo... Mi segue?»

«Sono tutto un orecchio».

«Vorrei che la Regina sognasse che nove spaventosi giganti di venti metri stanno galoppando verso l'Inghilterra in piena notte. Bisogna che sogni i loro nomi. Che nomi hanno?»

«L'Inghiotticicciaviva, il Crocchia-ossa, lo Strizza-teste, il Trita-bimbo, il Vomitoso, il Ciuccia-budella, lo Spella-fanciulle, il San Guinario e lo Scotta-dito» enumerò il GGG.

«Le faccia sognare questi nomi e poi le faccia vedere i giganti mentre strisciano in Inghilterra nell'Ora delle Ombre per strappare i bambini e le bambine dai loro letti. Le faccia sognare come passano un braccio dalla finestra delle loro stan-

127

zette, e come afferrano i bambini e le bambine dalle lenzuola. Poi...»

Sofia si arrestò per chiedere: «Li mangiano sul posto o se li portano dietro?»

«Di solito loro se li butta in gola come pop-corna».

«Metta anche questo nel sogno. Poi... poi il sogno deve mostrare come se ne tornano a pancia piena nel Paese dei Giganti, dove nessuno può rintracciarli».

«È tutto?»

«No. Bisogna spiegare alla Regina che esiste un Grande Gigante Gentile che può rivelarle dove vivono questi mostri, così che possa mandare i suoi soldati e le sue armate a catturarli una volta per sempre. E ora non resta che farle sognare un'ultima cosa, ma importantissima: una bambi-na seduta sul davanzale della sua finestra, che le riveli dove si nasconde il Grande Gigante Genti-le».

«E dove si nasconde?»

«Ci penseremo più tardi. Dunque, la Regina fa questo sogno, chiaro?»

«Chiaro».

«Poi si sveglia e la prima cosa che pensa è: "Che orribile sogno ho fatto! Meno male che era *solo* un sogno". E qui alza la testa dal cuscino e cosa vede?»

«*Cosa* vede?»

«Vede una bambina di nome Sofia che siede sul davanzale della finestra, viva e vegeta, pro-prio davanti ai suoi occhi».

«E come mai tu siede sul davanzale della finestra della Regina, se mi è premesso chiederlo?»

«Perché *lei* mi ha messo lì, e questo è il trucco. Se uno *sogna* che c'è una bambina sul suo davanzale, e quando si sveglia c'è *davvero* una bambina seduta lì, il sogno diventa realtà, no?»

«Io comincia a vedere dove tu vuole arrivare: se la Regina capisce che una parte del sogno è vera, forse pensa che anche tutto il resto del sogno può essere vero, è così?»

«Più o meno, ma sarò io che dovrò convincerla».

«E tu dice che nel sogno c'è anche un Grande Gigante Gentile che parlerà alla Regina?»

«Ci deve assolutamente essere. Lei è il solo che può indicarle il modo per rintracciare gli altri giganti».

«Ma come può io incontrare la Regina? Non ha voglia che i suoi soldati mi sparapacchia addosso».

«I soldati stanno davanti al Palazzo, mentre nel giardino sul retro non c'è nemmeno un soldato. Il parco è cintato da un alto muro con in cima conficcate punte di ferro, per impedire che la gente si arrampichi. Ma per lei sarà uno scherzo scavalcarlo».

«Com'è che tu sa tante cose sul Palazzo della Regina?»

«L'anno scorso ero in un altro orfanotrofio, a Londra, e passeggiavamo spesso da quelle parti».

«E tu mi aiuterà a trovare il Palazzo? Io non

ha mai osato girogavare per Londra in vita mia».

«Le mostrerò la strada» lo rassicurò Sofia.

«Londra mi terrorozza».

«Ma no, c'è una quantità di stradine scure, e nell'Ora delle Ombre non s'incontra mai nessuno».

Il GGG prese Sofia tra il pollice e l'indice e la posò delicatamente sul palmo dell'altra mano.

«Com'è il Palazzo? Grande?»

«Immenso» rispose Sofia.

«E allora come noi si farà a trovare la camera della Regina?»

«Questo tocca a lei. Non è un esperto in questo genere di imprese?»

«E tu è sicura che la Regina non mi metterà nello zoo con i suoi cainani e i suoi cocodrindilli?»

«Sicurissima; anzi, lei potrà diventare un eroe

nazionale. E non avrà più bisogno di mangiare i cetrionzoli».

Al GGG si illuminarono gli occhi e si passò la lingua sulle labbra.

«Davvero? Dice davvero? Mai più l'appestoso cetrionzolo?»

«Non potrebbe averlo neanche volendo. Nel mondo degli uomini il cetrionzolo non cresce».

Era fatta. Il GGG balzò in piedi. «Quando vuole tu che noi si fabbrica questo sogno?»

«Ora» disse Sofia. «Subito».

«E quando noi si va dalla Regina?»

«Stanotte, appena il sogno sarà pronto».

«Stanotte?» esclamò il GGG. «Ma perché tutto 'sto cuoco e fiamme?»

«Se non possiamo far niente per salvare i bambini che saranno divorati stanotte, potremo almeno salvare quelli cui toccherebbe domani. E poi ho una fame terribile: sono ventiquattr'ore che non mangio!»

«Allora bisogna sgambare» disse il GGG dirigendosi verso la caverna.

Sofia gli depose un bacio sulla punta del pollice. «Sapevo che l'avrebbe fatto!» esclamò. «Andiamo, presto!»

Mescolando sogni

Faceva ormai buio, la notte era cominciata. Il GGG, con Sofia sempre nel cavo della mano, ritornò in fretta nella caverna e accese quelle luci accecanti, che sembravano provenire dal nulla.

«Ora tu sta qui» disse posando Sofia sul tavolo, «e poche chicchere: io ha bisogno di sentire solo il silenzio quando mescola un sogno così papocchioso e complessato».

Si allontanò a grandi passi e andò a prendere un barattolo vuoto, grande come una lavatrice. Serrandoselo al petto si avvicinò agli scaffali dove erano disposti migliaia e migliaia di barattoli più piccoli, con i sogni prigionieri.

«Sogni con giganti...» mormorava decifrando le etichette, «con giganti che sì abboffa di popolli... No, questo no... neanche questo... Ah, eccotene uno! E qui un altro!»

Prese i barattoli, svitò i coperchi e versò i sogni nel grande recipiente vuoto che teneva contro il petto; quando ne cadeva uno, Sofia scorgeva una piccola massa verde-mare passare da un recipiente all'altro.

Il GGG si avvicinò a un altro scaffale. «E ora»

borbottò, «qualche sogno con bombonierine di babbine e scatole a sorpresa con babbini».

Era molto concentrato, e Sofia poteva quasi vedere l'eccitazione che ribolliva in lui, mentre correva dall'uno all'altro dei suoi amati barattoli.

Dovevano esserci quasi cinquantamila sogni allineati negli scaffali, e il gigante sapeva esattamente dove ciascuno si trovasse. «Sogni con una babbinetta» mormorava, «e con me dentro... col GGG... allora su, mi sbriga, presto, va con quest'altro...»

Di quel passo, nel giro di mezz'ora era riuscito a trovare i sogni necessari, e li aveva versati tutti nel grande barattolo, che infine posò sulla tavola.

Sofia l'aveva osservato senza dire parola. Sul fondo del recipiente poteva vedere il palpito lieve di una cinquantina di forme ovali, gelatinose, dai riflessi verde-mare. Alcune giacevano posate l'una sull'altra, ma ogni sogno conservava la propria individualità.

«E ora si mescola!» annunciò il GGG, e andò a recuperare nella dispensa — dove teneva i bottiglioni di sciroppio — un gigantesco frullino. Era del tipo a manovella, con fruste metalliche che girando sibilavano. Il GGG lo introdusse nel recipiente, sul cui fondo erano ammassati i sogni, e cominciò ad azionare vigorosamente la manovella. «Guarda» disse a Sofia.

Lampi verdi e azzurri presero a guizzare nell'interno del recipiente; il frullino frustava energicamente i sogni, trasformandoli a poco a poco in una schiuma verdastra.

«Poverini!» esclamò Sofia.

«Non gli fa niente» assicurò il GGG continuando a girare la manovella. «I sogni non è come i popollani e gli animali. Non possiede cervello, è fatto di zozimi».

Presto il GGG smise di frullare. Ora il grande barattolo era pieno fino all'orlo di grosse bolle simili a bolle di sapone, ma più brillanti e percorse da chiazze iridate.

«Continua a guardare» disse a Sofia il GGG.

La bolla in superficie si sollevò lievemente e volò via. La seguirono una seconda, una terza e una quarta. Ben presto la caverna fu invasa da centinaia di bolle dagli splendidi colori, che fluttuavano nell'aria. Era uno spettacolo straordinario. Sofia, che ne seguiva il movimento, le vide dirigersi verso l'ingresso della caverna.

«Se ne vanno!» mormorò.

«Certo».

«Ma dove vanno?»

«È dei bandrelli di sogni che io non ha utilizzato» spiegò il GGG. «Loro torna svelti svelti al

135

Paese delle Nebbie per riunirsi a dei sogni interi».

«È difficile capire, per me» confessò Sofia.

«I sogni è pieni di mistero e di magia, tu non può cercare di capirli. Guarda invece nel grande vaso e tu vedrà il sogno che mi ha chiesto di preparare per la Regina».

Sofia si avvicinò al grande recipiente di vetro e guardò nell'interno. Sul fondo una forma si dibatteva selvaggiamente, sobbalzando e scagliandosi contro le pareti. «Dio!» esclamò. «Ma che cos'è?»

«*È*» disse orgogliosamente il GGG.

«Ma... è orribile!» gridò Sofia. «Salta di qua e di là! Vuole uscir fuori!»

«È perché è un troglogoblo» spiegò il GGG. «Un in-cubo».

«Non vorrà che la Regina abbia un incubo!»

«Se lei deve sognare che dei giganti si intrippa di babbine e babbini, come tu vuole che non è un in-cubo?»

«Oh, no!» gemette Sofia.

«Oh, sic!» disse il GGG. «Un sogno dove dei poveri pulcinotti è divorati dai giganti non può essere che uno spaventoso in-cubo troglogoblo. È un terribile ippoghigno. Un mostruoso turpedo-

136

ne. E tutto mescolato in un solo sogno. Peggio di quello che io ha soffiato nel pomeriggio dentro Inghiotticicciaviva».

Sofia fissò lo spaventevole incubo che continuava a dibattersi. Era gelatinoso e più grande degli altri, sembrava un uovo di tacchino. Sfumature scarlatte ne coloravano l'interno. E si scagliava con una violenza terribile contro il vetro delle pareti.

«Non voglio che la Regina abbia un incubo» ripeté Sofia.

«Ebbene, io crede invece che la Regina sarà molto contenta di avere un in-cubo, se questo impedirà che centinaia di popollani della terra sono divorati da spaventosi giganti. Chiaro o scuro?»

«Suppongo che lei abbia ragione» ammise Sofia. «Bisogna farlo».

«Le passerà presto» promise il GGG.

«Contiene tutti i particolari importanti che le ho chiesto?» domandò Sofia.

«Quando io soffierà il sogno nella camera della Regina, lei sognerà ogni piccolo partilocale che tu voleva».

«Mi vedrà seduta sul davanzale della finestra?»

«Questo è un pezzo forte».

«E il GGG?»

«Io ha messo un bel brano su di lui».

Mentre parlava, il GGG prese un barattolo più piccolo e vi travasò con destrezza il troglogoblo, che continuava a dibattersi e a divincolarsi. Poi

137

avvitò con forza il coperchio di quella nuova prigione.

«Eccoci» annunciò. «Io è pronto». E mise il barattolo nella valigia.

«Perché prende una valigia così grande per un solo barattolo?» chiese Sofia. «Potrebbe metterselo in tasca».

Il GGG la guardò sorridendo. «Per le ruote di mia nonna!» esclamò togliendo il barattolo della valigia. «Tu non ha pigne in testa come io credeva. E non è nata ieri».

«Grazie delle buone parole» disse Sofia con un inchino.

«È tu pronta a partire?» chiese il GGG.

«Pronta!»

Il cuore s'era messo a batterle al pensiero dell'impresa che stavano per compiere. Era un'avventura pazza, che forse li avrebbe condotti dritti in prigione.

Il GGG indossò la sua ampia cappa nera.

Si mise il barattolo in tasca, prese la lunga tromba per soffiare i sogni e si rivolse a Sofia: «Io ho il barattolo con l'in-cubo in tasca. Vuole tu fare il viaggio in sua compagnia?»

«Mai!» esclamò Sofia. «Mi rifiuto di stare accanto a quell'essere bestiale!»

«E allora, dove tu ti mette?»

«Se volesse essere così gentile da girare orizzontalmente, come un piatto, una delle sue adorabili grandi orecchie, sarebbe per me un posticino comodo!»

«Salute! Che ideuzzolo luminoso!»

Il GGG inclinò lentamente l'orecchio destro, sino a ottenere una sorta di grande conchiglia volta verso il cielo. Poi sollevò Sofia e ve la depose. L'orecchio del gigante aveva le dimensioni di un vassoio da tè, ma somigliava in tutto e per tutto all'orecchio di un uomo. Aveva gli stessi rilievi, gli stessi meandri; era davvero un sedile confortevole.

«Spero solo di non cadere nel buco» disse Sofia tenendosi prudentemente a distanza dal grande condotto uditivo.

«Attenta che non scivola» disse il GGG. «Mi farebbe un male terrificcante!»

Il vantaggio di trovarsi lì, era che Sofia poteva parlare al GGG direttamente nell'orecchio.

«Ahi, tu mi fa il sollecito. Smette di zampettare, per favore».

«Cercherò. Siamo pronti?»

«Auaaaa! Non fa così!»

«Non sto facendo niente» disse Sofia.

«Tu parla *fortissimo*! Tu dimentica che io sente ogni minimo drindrinetto cinquanta volte più forte che tu, e ecco che mi grida direttamente nell'orecchio!»

«Cielo!» mormorò Sofia. «Me l'ero dimenticato!»

«La tua voce suona come i denti del Giudizio!»

«Sono desolata» mormorò Sofia. «Va meglio così?»

«No!» gridò il GGG. «È come se tu mi spara una pallolottola!»

139

«E allora, come faccio a parlarle?»

«Non parla più!» strillò il povero GGG. «Non una parola! È come un bombranamento nelle mie orecchie!»

Sofia cercò di parlare sottovoce.

«È meglio così?», sussurrò. Parlava così piano che non riusciva a udire la propria voce.

«Meglio» ammise il GGG, «così va molto meglio. Cosa voleva dirmi prima?»

«Le chiedevo se era pronto».

«Eccome! Si parte!» esclamò il GGG dirigendosi verso l'entrata della caverna. «Si va a incontrare Sua Mistrà la Regina!»

Uscito dalla caverna, il GGG rimise a posto la grande pietra rotonda e si lanciò nella notte con un galoppo infernale.

Viaggio a Londra

Il vasto terreno giallastro e desolato, illuminato dalla luna, era avvolto in un pallore lattiginoso. Il Grande Gigante Gentile lo attraversava al galoppo.

Sofia, che indossava ancora la sua leggera camicina da notte, se ne stava confortevolmente installata in un incavo dell'orecchio destro del

GGG. Si era sistemata vicino all'orlo, all'estremità superiore, dove una piega formava una sorta di tettoia che la proteggeva dal forte vento. La pelle dell'orecchio del gigante era morbida come il velluto ed emanava un tepore dolce. Nessuno, pensava Sofia, avrebbe potuto vantarsi d'aver viaggiato più comodamente.

Sofia gettò un'occhiata oltre l'orlo dell'orecchio e vide lo spettacolo desolato del Paese dei Giganti che le scorreva davanti. Il GGG andava in fretta, non c'è che dire. Faceva lunghi balzi come se avesse avuto i razzi ai piedi; ogni sua falcata misurava una trentina di metri. E tuttavia non aveva ancora raggiunto la velocità massima, che trasformava il paesaggio in un diffuso turbinìo, il gemito del vento in urlo; e si aveva l'impressione che i piedi del gigante non toccassero più la terra. Tutto ciò sarebbe accaduto più tardi.

Sofia non chiudeva occhio da tempo; era stanchissima, e la sensazione di tepore e di agio che provava la fece sprofondare nel sonno.

Non seppe quanto aveva dormito, ma quando si svegliò e sbirciò oltre il margine dell'orecchio, il paesaggio era completamente cambiato. Ora si trovavano in un paese verdeggiante, con montagne e foreste. Era sempre notte, ma la luna splendeva più brillante che mai.

All'improvviso senza rallentare il passo, il GGG girò la testa verso sinistra. Per la prima volta in tutto il viaggio parlò. «Presto, presto, guarda laggiù!» disse puntando la lunga tromba.

Sofia guardò nella direzione indicata, e nello spessore della notte distinse soltanto un nuvolone di polvere a un centinaio di metri di distanza.

«È gli altri giganti che rientra dalla loro abbuffata» disse il GGG.

Sofia li vide. Nel chiarore della luna riconobbe i nove bruti mostruosi, seminudi, che attraversavano il paesaggio: in gruppo, a testa bassa, con i gomiti contro il corpo e, particolare orribile, con

142

i ventri ballonzolanti. Facevano balzi incredibili, a una velocità stupefacente. I piedi martellavano il suolo con un rombo di tuono, lasciandosi dietro una larga scia di polvere. Pochi secondi dopo erano scomparsi alla sua vista.

«Un bel mucchietto di marmotti e marmottine non dorme più nel suo letto, a quest'ora» disse il GGG.

Sofia si sentì male. Ma quel sinistro incontro rafforzò in lei la determinazione di portare a termine il piano.

Circa un'ora più tardi il GGG rallentò l'andatura.

«Noi è arrivati in Inghilterra» annunciò.

Nonostante l'oscurità, Sofia poté rendersi conto che si trovavano in un paese di prati verdeggianti, separati da siepi ben potate. Si vedevano colline folte d'alberi, e di tanto in tanto strade illuminate dai fari delle automobili. Ogni volta che si imbattevano in una strada, il GGG la superava d'un balzo; ed era così rapido che nessun automobilista avrebbe potuto rendersi conto di nulla, se non di un'ombra fugace sopra la testa.

Una strana luce rosata apparve all'improvviso in lontananza, nel cielo notturno.

«Noi è vicini a Londra» disse il GGG.

Rallentò il passo e cominciò a guardarsi prudentemente intorno.

C'erano case raggruppate un po' dappertutto, ma le finestre non erano ancora illuminate. Era troppo presto per alzarsi.

«Qualcuno potrebbe vederci» disse Sofia.

«Nessuno vede me mai» la rassicurò il GGG. «Tu dimentica che io ha fatto questo visite per anni anni e anni, e nessun uomo in camicia mi ha mai gettato neanche un'occhiatina».

«Io sì» disse Sofia.

«Eh, già» ammise il GGG; «ma tu era la prima».

Nella mezz'ora che seguì tutto si svolse così in fretta e in silenzio che Sofia, aggrappata all'orecchio del gigante, fu incapace di seguire quel che stava accadendo. Percorrevano strade fitte di case affiancate, con qualche negozio. I lampioni splendevano, la gente camminava sui marciapiedi, le macchine correvano con i fari accesi. Nessuno, però, notava il GGG. I suoi movimenti avevano qualcosa di magico. Si confondeva con le ombre, scivolava (è la sola parola che possa descrivere la sua maniera di spostarsi) senza far rumore da un angolo buio all'altro, avanzando e infilandosi nelle strade di Londra. Il suo lungo mantello nero si confondeva con le tenebre della notte.

Forse qualche nottambulo poteva aver visto un'ombra lunga e nera scivolare in una stradina buia, ma non doveva aver creduto ai suoi occhi; forse aveva pensato a un'allucinazione.

Finalmente il gigante e Sofia giunsero in una vasta zona alberata, attraversata da un sentiero. In fondo s'intravvedeva un lago. Tutto era deserto e il GGG, per la prima volta da quando, molte ore prima, aveva lasciato la caverna, si fermò.

«Che succede?» chiese Sofia con un bisbiglio.

«Io è un po' imbranato» rispose il GGG.

«Ma no, se l'è cavata magnificamente» sussurrò Sofia.

«Per niente, io è tutto scompigliato, io è perduto».

«Ma perché?»

«Perché io credeva che era nel centro di Londra, ed ecco che è nella valle dell'Eden».

«Non dica sciocchezze» sussurrò Sofia. «Siamo effettivamente nel centro di Londra. Si chiama Hyde Park. So perfettamente dove ci troviamo».

«Tu mi scherza».

«Ma no, le giuro di no. Siamo quasi arrivati».

«Tu dice che noi è vicini al Palazzo della Regina?» esclamò il GGG.

«È proprio dall'altra parte della strada» mormorò Sofia. «Ora prenderò *io* la guida».

«Da che parte?» chiese il GGG.

«Diritto»

Il GGG trotterellò attraverso il parco.

«E ora si fermi».

Il GGG si fermò.

«Vede quella grande area rotonda, laggiù, davanti a noi, all'uscita del parco?»

«La vede».

«È Hyde Park Corner».

Sebbene mancasse un'ora all'alba, il traffico era già intenso.

«Di fronte» sussurrò Sofia «c'è un grande arco di marmo sormontato da una statua equestre. Lo vede?»

Il GGG scrutò attraverso il fogliame.

«La vede» disse.

«Crede di riuscire a passare di slancio sopra l'arco e la statua, e atterrare dall'altra parte, sul marciapiede?»

«Facilissimo».

«Proprio sicuro?»

«Io promette» disse il GGG.

«In qualsiasi modo vadano le cose, non dobbiamo assolutamente atterrare al centro di Hyde Park Corner!»

«Non te la prende: per me è un saltellino. Neanche il più picciopiccio problema».

«E allora, *via*!»

Il GGG partì di gran galoppo, aprendosi il varco tra gli alberi, e quando giunse alle inferriate che separano il parco dalla strada, si lanciò verso l'alto. Fece un balzo gigantesco. Volò sopra Hyde Park Corner e atterrò, con la leggerezza di un gatto, sul marciapiede opposto.

«*Bravo*!» sussurrò Sofia. «E ora presto, bisogna saltare il muro!»

Un muro di mattoni, difeso da punte minacciose, correva davanti a loro lungo il marciapiede. Un breve slancio, un piccolo balzo e il GGG si trovò dall'altra parte.

«È fatta!» mormorò Sofia eccitata. «Siamo dietro al Palazzo, nel giardino reale!»

Il Palazzo

«Per mille lecca-lecca!» esclamò il GGG. «È davvero *lui*?»

«Ecco il Palazzo» bisbigliò di rimando Sofia.

A cento metri appena, seminascosto dagli alti alberi del giardino, oltre i prati ben rasati e le aiole di fiori ben curate, si delineava nell'oscurità l'imponente sagoma del Palazzo, con i suoi muri di pietra bianca. Le dimensioni dell'edificio fecero grande impressione al GGG.

«Ci deve essere almeno cento camere, là dentro!» disse.

«Di certo».

«E allora ecco che io è tutto scombussolito: come farà a trovare quella della Regina?»

«Avviciniamoci e diamo un'occhiata».

Il GGG scivolò tra gli alberi. All'improvviso si fermò, e cominciò a muovere il grande orecchio dove sedeva Sofia.

«Ehi!» sussurrò la bambina. «Mi farà cadere!»

«Zitta! Io sente qualcosa!»

Si accovacciò dietro un gruppo di cespugli e rimase in attesa. L'orecchio continuava a muoversi in tutti i sensi e bisognava che Sofia si tenesse ben aggrappata per evitare di cadere. Poi il GGG puntò l'indice attraverso un vuoto nel fogliame, e Sofia scorse poco distante un uomo, con un cane da guardia al guinzaglio, che camminava sul prato a passi felpati.

Il GGG rimase immobile come una roccia, e così fece Sofia.

«Tu mi aveva detto che non c'era soldati nella parte di dietro del giardino».

«Non era un soldato» mormorò Sofia, «ma una specie di guardiano. Bisognerà stare attenti».

«Non ti preoccupa troppo: con le mie grandi orecchie spettacolanti, io potrebbe cogliere *il respiro* di un uomo dall'altra parte del giardino!»

«Quanto tempo manca all'alba?» chiese Sofia.

«Non molto. Bisogna sbrigarci illico e presti presti».

S'inoltrò nel vasto giardino e ancora una volta Sofia fu ammirata dall'abilità con cui si confondeva con le ombre. Anche quando camminava sulla ghiaia, i suoi passi non producevano il minimo rumore.

Presto furono a ridosso della facciata posteriore del grande palazzo. La testa del GGG raggiungeva le finestre del primo piano; Sofia, seduta nell'orecchio del gigante, poteva quasi toccarle. Le tendine erano tirate e non trapelava la minima luce. Il rumore lontano del traffico attorno a Hyde Park Corner giungeva fino a loro.

Il GGG si fermò e avvicinò l'orecchio libero alla prima finestra.

«No» mormorò.

«Che sta ascoltando?» gli sussurrò Sofia.

«Il respiro: da un solo soffio io può dire se è quello di un uomo o di una donna. Là dentro c'è un uomo e russa piano».

Continuò a scivolare lungo la facciata, facendo scorrere sulle pareti la sua lunga sagoma sottile, ammantata di nero. Raggiunse la seconda finestra, origliò. «No» ripeté.

Ripartì. «Questa stanza è vuota» sussurrò.

Ascoltò nello stesso modo a molte altre finestre, ma ogni volta scuoteva il capo e passava oltre.

Quando raggiunse la finestra al centro della facciata, rimase in ascolto senza muoversi. «Oh oh!» sussurrò. «Qui dentro dorme una signora».

Sofia sentì un piccolo brivido correrle lungo la schiena. «Ma chi?» bisbigliò.

Il GGG si mise un dito sulle labbra per imporle il silenzio, poi passò un altro dito tra i vetri semichiusi e scostò leggermente le tende.

Il riverbero rosato del cielo di Londra penetrò nella camera e proiettò sulle pareti un debole chiarore. Era una stanza vasta, elegante, con uno spesso tappeto, sedie dorate, una toletta e un letto. E sul cuscino giaceva la testa di una donna addormentata.

All'improvviso Sofia si rese conto di osservare un volto che aveva sempre visto riprodotto sui francobolli, sulle monete, sui giornali.

Per qualche secondo rimase muta.

«È lei?» sussurrò il GGG.

«Sì» mormorò Sofia.

Il GGG non perse tempo. Alzò con grande precauzione il pannello inferiore della vasta finestra. Era infatti un esperto in finestre, poiché negli anni passati ne aveva aperte a migliaia per soffiare i sogni nelle camere da letto dei bambini. Ne aveva trovate di bloccate, scardinate, tentennanti e cigolanti, e fu felice di constatare che la finestra della Regina scorreva come l'olio. Sollevò il pannello più in alto che poté, in modo da permettere a Sofia di sedersi sul davanzale. Poi richiuse per bene le tendine, prese Sofia tra il pollice e l'indice e la depose sul piano, così che le gambette della bambina pendessero, dissimulate dalle tende, all'interno della stanza.

«E ora non ti dindola all'indietro» si raccomandò; «tu deve tenerti ben stretta con le due mani al bordo del davanzale».

Sofia obbedì.

Era già primavera, e la notte non era troppo fredda. Ma non va dimenticato che Sofia aveva indosso soltanto la sua camicina; avrebbe dato qualsiasi cosa per avere una vestaglia. Non soltanto per scaldarsi, ma anche per nascondere il biancore della camicia agli occhi di quanti, dal basso, avrebbero potuto vederla.

Il GGG trasse il barattolo dalla tasca del mantello e svitò il coperchio. Poi, con mille precauzioni, versò il prezioso sogno nella campana della tromba e infilò la tromba tra le tende, il più addentro possibile nella stanza, in direzione del letto. Inspirò profondamente, gonfiò le gote e *puff!*, soffiò il sogno.

Ora non gli rimaneva che ritirare la tromba lentamente, con gesti prudenti, come si fa con un termometro.

«Tu sta comoda, seduta là?» chiese.

«Sì».

In realtà Sofia era terrorizzata, ma decisa a non mostrarlo. Guardò rapida alle sue spalle: il suolo sembrava molto lontano.

«Quanto tempo ci vorrà perché il sogno funzioni?»

«A volte un'ora; altre va più in fretta. Qualcuno è più lento, ma di sicuro, presto o tardi, il sogno le arriva».

Sofia non replicò.

«E ora io me ne va ad aspettare nel giardino» mormorò il GGG. «Se tu ha bisogno di me, tu dice il mio nome, e io arriva come una sassetta».

«Ma potrà sentirmi?»

«Tu dimentica queste» sorrise il GGG indicando le sue grandi orecchie.

«Allora ciao» sussurrò Sofia.

E, in modo del tutto inaspettato, il GGG si chinò e la baciò gentilmente su una guancia.

Sofia stava per piangere. Quando si volse a guardarlo, il gigante era sparito. Si era immerso nell'oscurità del giardino.

La Regina

Finalmente l'alba spuntò e un sole giallo limone apparve dietro i tetti delle case, dalle parti di Victoria Station. Ben presto Sofia avvertì un po' di calore sulla schiena e si sentì meglio.

Udì il suono lontano della campana di una chiesa. Contò i rintocchi: erano sette.

Le sembrava impossibile che lei, Sofia, un'orfanella qualsiasi, si trovasse davvero seduta sul davanzale della camera da letto della Regina d'Inghilterra, a tanti metri dal suolo, con la Regina addormentata dietro le tende.

La stessa idea le appariva assurda.

Nessuno, prima di lei, aveva fatto una cosa simile. Era spaventoso.

E se il sogno non avesse funzionato? Nessuno, e meno di tutti la Regina, avrebbe mai creduto una sola parola di quella storia.

A chi era mai successo di scoprire, svegliandosi, una bambinetta seduta dietro le tende della sua camera? Alla Regina sarebbe venuto un collasso; e a chi non sarebbe venuto?

Dando prova di tutta la pazienza che può avere una bambina in attesa di un evento importante, Sofia cercò di stare quieta sul davanzale.

Per quanto ancora? si chiedeva. A che ora si svegliano le regine?

Rumori attutiti e suoni distanti cominciarono a giungere dall'interno del Palazzo. Poi, al di là dalle tende, si udì improvvisa una voce un po' velata, come di qualcuno che parli nel sonno.

«Oh, no! No!... Qualcuno li fermi!... Non lasciateli continuare!... È insopportabile!... Per favore, fermateli!... È orribile!... Oh, è spaventoso!... No! No! No!...».

Il sogno è arrivato, si disse Sofia. Dev'essere veramente orrendo. Mi dispiace per lei, ma era necessario. Udì ancora qualche gemito, poi un lungo silenzio.

Sofia attendeva. Si guardò alle spalle, nel terrore di scoprire che l'uomo con il cane la stesse osservando dal giardino. Ma il giardino era deserto. Una pallida nebbia primaverile vagava nell'aria come una trama di fumo. Era un giardino enorme, splendido, con in fondo un lago dagli strani contorni. In mezzo al lago c'era un'isola, e sull'acqua scivolavano anitre.

Dalla camera, oltre le tende, giunse il rumore di colpi battuti a una porta. Sofia sentì che qualcuno girava una maniglia ed entrava nella stanza. «Buongiorno, Maestà» disse una voce femminile, che sembrava appartenere a una persona anziana.

Ci fu una pausa, poi un leggero tintinnìo di porcellane e di argenti.

«Desiderate il vassoio a letto, Signora, o lo preferite sulla tavola?»

«Oh Mary, che cosa spaventosa!» Era la stessa voce che Sofia aveva udito tante volte alla radio e alla televisione, specialmente il giorno di Natale. Una voce famosa.

«Che cosa, Signora?»

«Ho appena fatto un sogno terribile! Un incubo spaventoso!»

«Ne sono spiacente, Maestà. Ma non prendetevela così. Ora siete sveglia e tutto è passato. È stato soltanto un sogno, Signora».

«Sai che cosa ho sognato, Mary? Ho sognato che bambini e bambine erano stati strappati, da spaventosi giganti che poi li divoravano, dai letti dei loro collegi. I giganti passavano le braccia dalle finestre dei dormitori e acchiappavano i bambini con le dita! Un gruppo da una scuola femminile e uno da una scuola maschile! Era così... così *vero*, Mary, così *vero*!»

Silenzio. Sofia attendeva, emozionata. Ma perché quel silenzio? Perché l'altra, la cameriera, non diceva niente?

«Che c'è, dunque, Mary?» domandò la voce famosa.

Ancora silenzio.

«Mary! Sei bianca come un lenzuolo! Ti senti bene?»

Ci fu un gran fracasso e un rumore di vasellame che andava in pezzi; forse la cameriera aveva lasciato cadere il vassoio che reggeva tra le mani.

«Mary!» esclamò la voce famosa, piuttosto seccata. «Penso che faresti meglio a sederti! Hai l'aria di stare per svenire. Non devi prendertela

157

così solo perché ho fatto un brutto sogno!»

«Non è... Non è... Non è per questo, Signora» balbettò la cameriera con voce tremante.

«E allora, in nome del cielo, qual è la ragione?»

«Sono desolata per il vassoio, Maestà».

«Non preoccuparti per il vassoio. Ma perché ti è caduto? Perché improvvisamente sei diventata bianca come un fantasma?»

«Non avete ancora letto i giornali, vero, Signora?»

«No. Che dicono?»

Sofia udì il fruscìo delle pagine di un giornale.

«Raccontano esattamente il sogno che avete fatto stanotte, Signora».

«Sciocchezze, Mary. Dov'è?»

«In prima pagina, Signora. A caratteri cubitali».

«Misericordia!» esclamò la voce famosa. «*Diciotto bambine scompaiono misteriosamente dai loro letti alla Scuola di Roedean! Quattordici bambini scomparsi a Eton. Rinvenute ossa sotto le finestre dei dormitori!*».

Seguì una pausa contrappuntata dai sospiri della celebre voce, certo provocati dalla lettura dell'articolo.

«Ma è terribile!» esclamò la voce famosa. «È orrendo! Ossa sotto le finestre! Che cosa sarà mai successo? Quei poveri, poveri bambini!»

«Ma Maestà... non capite...».

«Che cosa non capisco, Mary?»

«Quei bambini sono stati portati via proprio

158

come è successo nel vostro sogno, Signora!»

«Non da giganti, Mary!»

«Forse no, Signora, ma i bambini e le bambine che scompaiono dai loro dormitori, li avete proprio sognati. E ora tutto questo è davvero avvenuto, Maestà».

«Anch'io sono un po' scombussolata, Mary».

«Mi sento scossa, Signora, a veder succedere una cosa come questa, proprio scossa».

«Posso capirti, Mary».

«Vado a prendervi un'altra colazione, Maestà, e faccio rimediare a questo disastro».

«No, non andartene, Mary! rimani ancora un momento!»

Sofia avrebbe voluto vedere quello che succedeva nella stanza, ma non osava toccare le tende.

«Ho *veramente* sognato quei bambini, Mary. Chiaro come vedo te».

«Non ne dubito, Maestà».

«Ma non comprendo che cosa c'entrassero quei *giganti*. È una sciocchezza».

«Volete che apra le tende, Signora? Ci farà bene: il tempo è splendido».

«Sì, per favore».

Le tende vennero scostate con un fruscio.

La cameriera strillò.

Sofia, sul davanzale, era come paralizzata.

La Regina, seduta sul letto con una copia del «Times» sulle ginocchia, guardò distrattamente verso la finestra. Rimase anch'essa paralizzata, ma non strillò come la cameriera: le Regine hanno troppo autocontrollo per strillare. Si limi-

tò a fissare, pallida e con gli occhi spalancati, la bimbetta seduta sulla finestra nella sua camicina da notte.

Sofia stava immobile come una statua.

Stranamente, anche la Regina sembrava pietrificata. Ci si sarebbe aspettato che mostrasse sorpresa, come voi o io se avessimo scoperto al nostro risveglio una bambina seduta sul davanzale della finestra. Ma la Regina non sembrava stupita; piuttosto spaventata.

La cameriera, una donna di mezza età, con la crestina in testa, si riprese per prima dalla sorpresa. «Che diavolo fai qui?» chiese in collera a Sofia.

Sofia guardò la Regina come implorandola.

La Regina continuava a fissarla, la si sarebbe detta affascinata: la bocca semiaperta, gli occhi rotondi come due piattini da tè, con un'espressione di incredulità sul celebre volto piuttosto grazioso.

«Dimmi un po', signorinella, come diamine

hai fatto a introdurti nel palazzo?» chiese furiosa la cameriera.

«È da non credere» mormorò la Regina, «veramente da non credere».

«La mando via subito, Signora, subito!» disse la cameriera.

«No, no, Mary, lasciala stare!». La Regina aveva parlato in modo così brusco, che la cameriera rimase interdetta. Si volse verso la sovrana e la guardò stupefatta. Cosa le stava accadendo? Sembrava in preda a uno shock.

«Vi sentite bene, Maestà?» chiese.

Quando la Regina parlò, lo fece con uno strano soffocato sussurro. «Dimmi, Mary, c'è davvero una bambina seduta sul davanzale della finestra, o sto ancora sognando?»

«Sissignora, sta proprio seduta là, chiaro come il sole, ma Dio solo sa come ci è giunta! Credetemi, questa volta Vostra Maestà non sogna!»

«Ma è esattamente quello che ho sognato!» esclamò la Regina. «Ho sognato anche questo: che una bambina seduta sul davanzale della mia finestra, in camicia da notte, mi avrebbe parlato!».

La cameriera, le mani contratte sul grembiule bianco e inamidato, guardava la padrona con un'espressione incredula. Era troppo per lei, non si raccapezzava. Non era preparata a far fronte a quel genere di follie.

«Sei proprio *vera*?» chiese la Regina a Sofia.

«Ss... sssì, Maestà» mormorò Sofia.

«E come ti chiami?»

«Sofia, Maestà».

«E come sei arrivata sul davanzale della mia finestra? No, non rispondermi! Aspetta un momento! Ho sognato anche questo: ti ha messa lì un gigante!»

«Proprio così, Maestà».

La cameriera emise un gemito angosciato e si coperse la faccia con le mani.

«Su, Mary, un po' di controllo!» disse severamente la Regina. Poi, rivolgendosi nuovamente a Sofia: «Questa storia del gigante è uno scherzo, vero?»

«Oh no, Maestà. Il gigante è qui fuori, nel giardino».

«Davvero?» fece la Regina. L'assurdità del tutto l'aiutò a ritrovare la calma. «Così, sarebbe in giardino, eh?» chiese sorridendo.

«È un gigante *buono*, Maestà. Non dovete aver paura».

«Sono lieta di apprenderlo» dichiarò la Regina continuando a sorridere.

«È il mio miglior amico, Maestà».

163

«Che cosa carina!».

«È un gigante delizioso, Maestà».

«Non ne dubito» disse la Regina. «Ma perché tu e il tuo gigante sareste venuti a trovarmi?»

«Ritengo che abbiate sognato anche questo, Maestà» rispose con calma Sofia.

Questa risposta sorprese la Regina. Il sorriso le scomparve dalle labbra.

Certo che aveva sognato *anche questo*: ora ricordava che alla fine del sogno una bambina e un Grande Gigante Gentile sarebbero venuti da lei e le avrebbero spiegato come fare per rintracciare quei nove orrendi giganti mangiatori d'uomini.

Ma attenzione, si disse la Regina, non perdiamo la testa. Perché qui siamo ai confini della follia.

«Allora, è vero o non è vero che avete sognato anche questo, Maestà?» insistette Sofia.

La cameriera aveva rinunciato a capire; si limitava ad assistere, con aria stralunata.

«In effetti» disse la Regina, «ora che me lo ricordi, l'ho sognato. Ma *tu* come fai a saperlo?»

«È una lunga storia, Maestà» rispose Sofia. «Volete che faccia venire il Grande Gigante Gentile?»

La Regina fissò la bambina, che ricambiò il suo sguardo con espressione leale e sincera. Non sapeva che atteggiamento prendere: cercavano di farsi beffe di lei?

«Allora, vado a chiamarlo?» insisté Sofia. «Vedrete, vi piacerà».

164

La Regina respirò profondamente. Era lieta che nessuno, tranne la fedele vecchia Mary, fosse testimone di quel che stava accadendo. «Bene» disse alla fine, «chiama pure il tuo gigante. No, aspetta un momento. Mary, rimettiti in sesto e dammi la vestaglia e le pantofole».

La cameriera fece ciò che le veniva chiesto. Allora la Regina si alzò, indossò una vestaglia rosa pallido e infilò le pantofole.

«Ora puoi chiamarlo» disse.

Sofia si volse verso il giardino e cominciò a gridare: «GGG! Sua Maestà la Regina desidera incontrarla!»

La Regina si appressò alla finestra, vicino a Sofia.

«Scendi da quel davanzale» disse. «Potresti cadere da un momento all'altro».

Sofia saltò a terra e si mise al fianco della Regina, davanti alla finestra aperta. Mary stava dietro, con le mani sui fianchi e un'espressione decisa, che sembrava voler dire: «Non voglio aver niente a che fare con questa sciocchezza».

«Non vedo nessun gigante» disse la Regina.

«Abbiate pazienza» la pregò Sofia.

«Posso metterla alla porta, ora, Signora?» chiese la cameriera.

«Portala giù, piuttosto, e dalle qualcosa per colazione» replicò la Regina.

Proprio allora si produsse un fruscio tra i cespugli, presso il lago.

Ed eccolo arrivare!

Con i suoi sette metri, il mantello nero che

portava con l'eleganza di un gentiluomo e la lunga tromba in una mano, il GGG incedeva nobilmente sul tappeto erboso del parco, dirigendosi verso la finestra.

La cameriera gridò.

La Regina ebbe un moto di stupore.

Sofia agitò una mano.

Il GGG non si scompose e si avvicinò con grande dignità. Quando giunse davanti alla finestra dove il terzetto stava affacciato, si fermò e s'inchinò con lenta grazia. La sua testa, quando si raddrizzò, era esattamente al livello della finestra reale.

«Vostra Mistrà» disse, «sono il vostro umido servitore».

S'inchinò di nuovo.

La Regina, considerato che incontrava un gigante per la prima volta in vita sua, mantenne un controllo straordinario.

«Felici di fare la vostra conoscenza» disse.

In basso, un giardiniere stava attraversando il prato, spingendo una carriola. Vide sulla propria sinistra le lunghe gambe del GGG. Allora il suo sguardo risalì lentamente la smisurata sagoma del gigante. Le mani gli si contrassero sui manici,

vacillò e cadde indietro sull'erba, svenuto. Nessuno gli badò.

«Oh, Mistrà!» esclamò il GGG. «Salve Regina nonnapotente! Oh Capolinea! Oh Madrescialla! Oh Maestosa! Oh Capolista! Oh Sultana! Qui io viene con la mia piccola amica Sofia... per offrivi la mia...». Il GGG esitò, cercando la parola giusta.

«La vostra?...»

«Per offrirvi la mia insistenza!» concluse il GGG, raggiante.

La Regina era perplessa.

«Forse qualche volta parla in modo un po' strano» spiegò Sofia, «ma è perché non è mai andato a scuola».

«Beh, bisogna mandarcelo» replicò la Regina. «In Inghilterra disponiamo di ottime scuole».

«Io ha grandi secreti da dirvi, Vostra Mistrà» disse il GGG.

«Lieta di apprenderli» rispose la Regina, «ma non in veste da camera».

«Desiderate vestirvi, Signora?» chiese la cameriera.

«Avete già fatto colazione?» domandò la Regina al gigante e a Sofia.

«Potremmo *mangiare* qualcosa?» chiese Sofia. «Oh sì, grazie! È da ieri che non mangio».

«Mi accingevo proprio a fare colazione» disse la Regina, «ma Mary l'ha fatta cadere per terra».

La cameriera deglutì.

«Immagino che debba esserci qualcosa da mangiare, nel Palazzo» continuò la Regina rivol-

gendosi al GGG, «e spero che voi e la vostra piccola amica vorrete tenermi compagnia».

«E ci toccherà mangiare del fetoso centrionzolo?» chiese il GGG.

«Sarebbe?» chiese la Regina.

«Dell'appestoso cetrionzolo» precisò il GGG.

«Ma di *che* parla?» si meravigliò la Regina. «Mi sa di un cibo un po' volgare». Poi, rivolta alla cameriera: «Mary, disponi che venga servita una colazione per tre nella... penso sia meglio nel salone da ballo, dove il soffitto è più alto. Temo che dovrete passare dalle porte a quattro zampe»

169

proseguì la Regina parlando al GGG; «vi manderò qualcuno a mostrarvi la strada».

Il GGG alzò una mano e sollevò Sofia. «Noi si lascia che Sua Mistrà si veste» disse.

«No, è meglio che la bambina rimanga con me» disse la Regina. «Bisognerà trovarle qualcosa da indossare. Spero che non farà colazione in camicia da notte!»

Il GGG ridepose Sofia nella camera.

«Sarà possibile avere qualche salsiccia?» chiese Sofia. «E bacon, e uova al tegamino?»

«Penso che si possa fare» rispose la Regina sorridendo.

«Aspetti di assaggiare questa roba» disse Sofia al GGG, «e da ora in poi, addio centrionzoli!»

Colazione reale

L'annuncio che Sua Maestà avrebbe fatto colazione entro mezz'ora nel salone da ballo in compagnia di un gigante di sette metri che bisognava
sistemare a tavola provocò uno straordinario
trambusto tra la servitù del Palazzo.

Il maggiordomo, un imponente personaggio
che si chiamava Mister Tibbs e sotto la cui
autorità suprema erano posti tutti gli altri servito-
ri, fece del suo meglio per accontentare la Regina
nel breve tempo concessogli. Nessuno può diventare maggiordomo di corte se non è eccezional-
mente dotato di ingegnosità, adattabilità, versati-
lità, destrezza, astuzia, raffinatezza, sagacia, di-
screzione e di molte altre qualità che né voi né io
possediamo. Mister Tibbs, invece, le possedeva
tutte. Si trovava nell'anticucina a bersi tranquillamente la prima birra chiara della giornata
quando l'ordine lo raggiunse. In una frazione di
secondo fece il seguente calcolo: se un uomo
normale di un metro e ottanta ha bisogno per
mangiare di una tavola alta novanta centimetri,
per un gigante di sette metri sarà necessaria una
tavola di tre metri e sessanta. E se un uomo di un
metro e ottanta ha bisogno di una sedia alta

sessanta centimetri, per un gigante di sette metri ci vorrà una sedia di due metri e quaranta.

Bisogna moltiplicare tutto per quattro, si disse Mister Tibbs: otto uova in luogo di due, sedici fette di bacon al posto di quattro, dodici toast invece di tre, e così di seguito. Tutti questi calcoli vennero immediatamente trasmessi a Monsieur Papillon, lo chef reale.

Mister Tibbs scivolò fino al salone da ballo (i maggiordomi non camminano, scivolano sul pavimento), seguito da un'armata di valletti in livrea, con calzoni attillati e molto stretti al ginocchio. Tutti avevano polpacci e caviglie perfettamente modellati; non si diventa valletti di corte se non si dispone di caviglie perfette: è il requisito essenziale per essere assunti.

«Trasportate il pianoforte a coda al centro della sala» mormorò Mister Tibbs (i maggiordomi non alzano mai la voce, si limitano in genere a un discreto mormorio).

Quattro valletti spostarono il pianoforte.

«Ora andate a prendere un grande cassettone e posatelo sul pianoforte» sussurrò Mister Tibbs.

Altri tre valletti andarono a prendere un bellissimo cassettone di mogano stile Chippendale e lo sistemarono sul pianoforte.

«Questa sarà la sua sedia» mormorò Mister Tibbs: «è alta esattamente due metri e quaranta. Ora allestiremo una tavola che permetterà a questo gentiluomo di gustare comodamente la colazione. Andate a prendere quattro grandi orologi a colonna, ce n'è una quantità nel Palazzo, e

172

sceglieteli esattamente di tre metri e sessanta».

Sedici valletti in livrea si dispersero subito nel Palazzo in cerca degli orologi a colonna. Era difficile trasportarli, e per ciascuno orologio occorsero quattro persone.

«Ora disponete gli orologi ai quattro angoli di un rettangolo di due metri e quaranta di lunghezza e di un metro e venti di larghezza, davanti al pianoforte a coda» mormorò Mister Tibbs.

I valletti eseguirono.

«E ora portatemi il tavolo da ping-pong del principino».

Fu portato.

«Svitate le gambe e mettetele via» bisbigliò il maggiordomo.

Fu fatto anche questo.

«Ora posate la tavola da ping-pong sopra i quattro orologi a colonna».

I valletti ci riuscirono inerpicandosi su alti scalei.

Mister Tibbs indietreggiò per valutare il nuovo arredo.

«Lo stile non è propriamente classico» mormorò, «ma dovremo accontentarci».

Diede quindi ordine di coprire il tavolo da ping-pong con una tovaglia di damasco, e alla fine l'insieme risultò abbastanza elegante.

A quel punto Mister Tibbs fu visto esitare. I valletti lo fissarono stupefatti, angosciati. I maggiordomi, infatti, non esitano mai, nemmeno di fronte a difficoltà insormontabili, perché in ciò consiste il loro lavoro, nel prendere rapide decisioni in qualsiasi circostanza.

«Coltelli, forchette, cucchiai» rimuginava. «Le nostre posate sembreranno spilli nelle sue mani».

Fortunatamente l'esitazione di Mister Tibbs non durò a lungo.

«Dite al capo giardiniere» sussurrò «che ho immediato bisogno di una forca e di una pala nuove fiammanti; come coltello useremo lo spadone appeso al muro del saloncino. Prima, però, pulitelo: l'ultima volta fu usato per tagliare la testa a Re Carlo I, e sulla lama potrebbe esserci rimasto un po' di sangue rappreso».

Quando tutti gli ordini furono eseguiti, Mister Tibbs si piazzò al centro della sala e, col suo occhio esperto di maggiordomo reale, valutò il risultato. Aveva dimenticato qualcosa? Certo! La tazza per il caffè del grande ospite.

«Andate in cucina a prendere il più grande vaso esistente» mormorò.

Fu portata una magnifica brocca di porcellana, capace di contenere ben quattro litri di liquido. Fu posata sulla tavola del gigante, tra la forca, la pala e lo spadone.

Ora tutto era pronto per la colazione del GGG. Mister Tibbs fece portare per la Regina e Sofia un elegante tavolino e due sedie, che pose accanto alla tavola del gigante. La grande tavola del GGG avrebbe dominato il tavolino della Regina, ma non lo si poteva evitare.

Aveva appena terminato di sistemare le cose quando la Regina, vestita con una elegante gonna e un golf di cachemire, fece il suo ingresso nella sala da ballo tenendo Sofia per mano. La bambina indossava un vestitino azzurro, appartenuto un tempo a una delle principessine, e affinché sembrasse più carina la Regina le aveva appuntato sul petto una splendida spilla di zaffiri, scelta tra i suoi gioielli personali. Il GGG le seguiva, patendo le pene dell'inferno per attraversare la porta. Dovette mettersi a quattro zampe, e riuscì a passare per quell'apertura troppo stretta per lui grazie all'aiuto di due valletti che lo spingevano e di altri due che lo tiravano. Dopo mille difficoltà finì per entrare nella sala. Si era tolto il mantello nero e aveva lasciato nel guardaroba la tromba. Ora indossava soltanto i suoi abiti comuni.

Dovette abbassarsi più volte per muoversi nella sala da ballo, perché rischiava sempre di sbattere contro il soffitto. Camminando curvo, non notò la presenza di un enorme lampadario di cristallo; lo urtò in pieno con la testa, e una pioggia di gocce di cristallo si abbatté su di lui.

«Per la merendina!» esclamò. «Cos'è questo?»

«*Era* un Luigi XV» disse la Regina lievemente contrariata.

«È la prima volta che entra in una vera casa» lo giustificò Sofia.

Mister Tibbs si accigliò. Ordinò a quattro valletti in livrea di raccogliere i frammenti, poi, con un breve gesto sdegnoso, invitò il gigante ad accomodarsi sul cassettone sistemato sul pianoforte.

«Ma guarda che mirabolastica e fantolante sedia!» esclamò il gigante. «Io ci starà adagià come un pascià!»

«Si esprime sempre così?» si informò la Regina.

«Spesso» rispose Sofia, «confonde le parole».

Il GGG si sedette sul cassettone e con un'occhiata stupefatta considerò il salone da ballo.

«Per mille lecca-lecca!» esclamò. «Che stanza fascinorosa! È così gigantissima che mi ci vorrebbe un cane occhiale e un telo a scoppio per vedere quello che succede dall'altra parte!»

In quel momento entrarono alcuni valletti che reggevano vassoi d'argento colmi di bacon, salsicce, uova e patate fritte.

Fu allora che Mister Tibbs si rese conto che per servire il GGG doveva salire su uno degli scalei più alti. Avrebbe dovuto reggere contemporanea-

mente un enorme vassoio caldo e una gigantesca caffettiera d'argento. A questo pensiero una persona normale avrebbe vacillato. Ma un buon maggiordomo non vacilla mai. Così si accostò allo scaleo e salì fino all'ultimo scalino, sotto lo sguardo interessato della Regina e di Sofia. Forse entrambe speravano segretamente che il maggiordomo perdesse l'equilibrio e cadesse.

Ma i bravi maggiordomi non cadono mai.

Giunto in cima allo scaleo, Mister Tibbs, destreggiandosi come un acrobata, versò il caffè al GGG e gli posò davanti un enorme vassoio con otto uova al tegamino, dodici salsicce, sedici fette di bacon e un gran mucchio di patate fritte.

«Che cos'è tutto questo, Vostra Mistrà?» chiese il GGG abbassando lo sguardo sulla Regina.

«Non ha mangiato altro, in vita sua, che ripugnanti cetrionzoli» spiegò Sofia.

«Non sembra che questo abbia influito sulla sua crescita» notò la Regina.

Il GGG impugnò la pala, raccolse in un sol colpo uova, salsicce, bacon e patate e infornò tutto nella sua immensa bocca. «Corpo di mille tombe!» esclamò. «In confronto a questo, il cetrionzolo è una merdente immondura».

La Regina alzò gli occhi e aggrottò le sopracciglia. Mister Tibbs si guardava la punta delle scarpe, e le sue labbra mormoravano una muta preghiera.

«Così, questo non era che l'antipastico» disse il GGG. «Ce n'è ancora di questa lussuriosa sbobba nelle vostre credenziali, Mistrà?»

«Tibbs» fece la Regina dando prova di un senso dell'ospitalità squisitamente regale, «fate portare al signore un'altra dozzina di uova e salsicce».

Tibbs scomparve subito, mormorando fra sé parole incomprensibili e asciugandosi la fronte con un fazzoletto bianco.

Intanto il GGG aveva sollevato la grande brocca di porcellana e aveva bevuto un sorso.

«Ouch!» esclamò, sputando con violenza. «Cos'è questa orribile porcellata che mi ha fatto bere Vostra Mistrà?»

«Caffè» spiegò la Regina. «Appena tostato».

«Ma è schifiltoso!» esclamò il GGG. «Dov'è lo sciroppio?»

«Che cosa?» chiese la Regina.

«Lo squizzito scoppiettante sciroppio! Tutti dovrebbe bere sciroppio a colazione, Mistrà. Così, dopo, si può petocchiare allegramente insieme».

«Che dice?» chiese la Regina rivolgendosi a Sofia con le sopracciglia aggrottate. «Che cosa intende, per *petocchiare*?»

Sofia assunse un atteggiamento severo. «GGG» disse, «qui *non c'è* sciroppio ed è assolutamente proibito petocchiare».

«Cosa?» si stupì il GGG. «No sciroppio? No petocchio? No musica celebestiale? No bum-bum-bum?»

«No, assolutamente» replicò Sofia risoluta.

«Se desidera cantare, non impediteglielo» disse la Regina.

«No, non vuol cantare» affermò Sofia.

«Dice che vuol far musica» proseguì la Regina. «Possiamo procurargli un violino».

«No, no» si affrettò a dire Sofia, «sta solo scherzando».

Un sorrisetto malizioso si disegnò allora sulle labbra del GGG. «Sente» disse, chinandosi su Sofia, «anche se non c'è sciroppio nel palazzo, io è capace lo stesso di petocchiare, se mi sforza».

«No!» gridò Sofia. «Non lo faccia! Qui no! Per favore!»

«La musica fa benissimo alla digestione» assicurò la Regina. «Quando vado in Scozia, i suonatori di cornamusa danno concerti davanti alle mie finestre, mentre sto mangiando. Su, suonateci qualcosa!»

«Io ha il permesso di Sua Mistrà!» esclamò il GGG, e immediatamente produsse una serie di petocchi che risuonarono nella sala da ballo come se fosse scoppiata una bomba.

La Regina sobbalzò.

«Ippy!» esclamò il GGG. «È meglio che i vostri corni a muse, vero, Mistrà?»

Ci volle qualche secondo perché la Regina si riprendesse dallo sbalordimento.

«Io preferisco le cornamuse» disse infine; tuttavia non poté trattenersi dal sorridere.

Nei venti minuti che seguirono un intero esercito di valletti si affaccendò dentro e fuori la cucina, portando al GGG affamato ed estasiato una terza, una quarta, una quinta porzione di uova al tegamino e di salsicce.

Quando il GGG ebbe ingollato il suo settantaduesimo uovo, Mister Tibbs si avvicinò discretamente alla Regina.

«Maestà» le mormorò all'orecchio dopo essersi profondamente inchinato, «lo chef vi presenta le sue scuse, ma dice che in cucina non è rimasto un solo uovo».

«Che cos'hanno le galline che non va?» chiese la Regina.

«Le galline stanno benissimo» bisbigliò il maggiordomo.

«E allora ordinate loro di deporre altre uova» stabilì la Regina. Poi, alzando lo sguardo verso il GGG: «Servitevi, nell'attesa, di toast e marmellata» disse.

«Non ci sono più toast» mormorò il maggiordomo; «lo chef fa sapere che non dispone più nemmeno di una briciola di pane».

«Basta impastarne dell'altro» disse la Regina. Nel frattempo Sofia aveva raccontato alla Re-

182

gina tutti i particolari del suo soggiorno nel Paese dei Giganti. La Regina l'ascoltava inorridita. E quando Sofia ebbe terminato il suo racconto, la Regina alzò gli occhi sul GGG, che ora stava mangiando pan di spagna.

«Grande Gigante Gentile» gli disse, «la notte scorsa quei mostri mangiatori d'uomini sono venuti in Inghilterra; riuscireste a ricordarvi dove erano andati la notte precedente?»

Il GGG infornò una intera forma di pan di spagna, e masticò lentamente meditando sulla domanda rivoltagli:

«Sì, Mistrà» disse infine, «io ora ricorda che loro andava in Svezia per mangiarsi un po' di genticchia in agrodolce».

«Portatemi un telefono» ordinò la Regina.

Subito Mister Tibbs gliene posò uno sul tavolo.

La Regina alzò il ricevitore: «Passatemi il Re di Svezia» disse.

«Buon giorno!» disse poco dopo. «Tutto bene da voi?»

«Tutto orrendamente» rispose il Re di Svezia, «la capitale è in preda al panico! Due sere fa, in piena notte, ventisei dei miei leali sudditi sono scomparsi. Il paese vive nel terrore!»

«I vostri ventisei fedeli sudditi sono stati divorati dai giganti» spiegò la Regina. «Pare che il sapore degli Svedesi sia loro molto gradito».

«E perché questi giganti dovrebbero amare il sapore degli Svedesi?» chiese sostenuto il Re di Svezia.

«Perché gli Svedesi della Svezia costituiscono una gustosa pietanza in agrodolce, così almeno afferma il GGG» disse la Regina.

«Io non so di che cosa stiate parlando» replicò il Re di Svezia in tono più acido che dolce. «Non mi sembra carino scherzare sui miei fedeli sudditi divorati come pop-corn».

«Loro ne hanno mangiati anche alcuni dei miei» asserì la Regina.

«*Loro* chi, in nome del Cielo?» esclamò il Re di Svezia.

«Giganti» spiegò la Regina.

«Perdonate» disse premuroso il Re di Svezia, «siete sicura di sentirvi bene?»

«Veramente ho passato una mattinata piuttosto faticosa: prima ho avuto un incubo terribile, poi la mia cameriera ha rovesciato il vassoio della colazione. E in questo momento c'è un gigante seduto sul mio pianoforte a coda».

«Avete assolutamente bisogno di un medico!» urlò il Re di Svezia.

«Va tutto benissimo» disse la Regina. «Spiacente, ma ora devo lasciarvi. Grazie per la vostra collaborazione» e riattaccò.

«Il tuo GGG ha ragione» disse la Regina a Sofia, «quei nove bruti mangiatori d'uomini sono andati davvero in Svezia».

«Ma è terribile, fate qualcosa per fermarli, Maestà!» esclamò Sofia.

«Vorrei fare ancora una verifica prima di convocare l'esercito» disse la Regina, rivolgendo di nuovo lo sguardo al GGG. Il quale era intento a mangiare bomboloni in confezioni da dieci, che ingollava come se fossero piselli. «Vi prego di concentrarvi ancora, GGG: dove sono andati quegli orribili giganti tre notti fa?»

Il GGG meditò intensamente e a lungo. «Oh oh!» esclamò alla fine. «Ora io mi ricorda!»

«Dove sono andati?»

«Uno è partito per Bagdad: era l'Inghiotticic-ciaviva. Quando ha passato davanti alla mia grotta ha gridato: "Io va a Bagdad e mi mangia mezza dozzina di tra-muezzin!"».

La Regina rialzò il ricevitore. «Passatemi il Sindaco di Bagdad» disse, «e, se non hanno un sindaco, trovatemi chi gli si avvicina di più».

Quasi subito risuonò una voce all'altro capo del filo: «Qui il Sultano di Bagdad».

«Ditemi, Sultano, tre notti fa è forse successo qualcosa di spiacevole, lì da voi?»

«Ogni notte succede qualcosa di spiacevole a Bagdad» rispose il Sultano. «Si tagliano teste come voi tritate prezzemolo!»

«*Io* non ho mai tritato prezzemolo» disse la Regina con aria sostenuta; «tutto quello che vorrei sapere è se recentemente qualcuno è *scomparso* a Bagdad».

«Solo una mezza dozzina di muezzin dai loro minareti» precisò il Sultano.

«Ah, ecco!» esclamò il GGG, le cui meravigliose orecchie gli permettevano di udire quanto il sultano stava dicendo al telefono alla Regina. «Proprio una mezza dozzina di tra-muezzin! Così ha detto, l'Inghiotticicciaviva».

185

La Regina riattaccò il ricevitore.

«Abbiamo la prova» disse, rivolgendosi al GGG, «che la vostra storia è vera. Che si convochino immediatamente il Capo dell'Esercito e quello dell'Aviazione!»

Il Piano

Il Capo dell'Esercito e il Capo dell'Aviazione stavano sull'attenti davanti al tavolo sul quale la Regina aveva fatto colazione. Sofia era sempre seduta sulla sua sedia e il GGG lassù in alto sul suo stravagante trespolo.

La Regina non impiegò più di cinque minuti per spiegare la situazione ai due militari.

«*Sentivo* che doveva esserci sotto qualcosa di simile, Vostra Maestà» disse il Capo dell'Esercito, «negli ultimi dieci anni abbiamo continuato a ricevere rapporti da quasi tutti i paesi del mondo, in cui si denunciavano misteriose sparizioni in piena notte. Anche l'altro giorno ne abbiamo ricevuto uno da Panama...»

«Sapore di cappello!» esclamò il GGG.

«E uno da Wellington, in Nuova Zelanda...»

«Sapore di generale inglese!» interruppe di nuovo il GGG.

«Ma *che* dice?» chiese il Capo dell'Aviazione.

«Lo lascio indovinare a voi» disse la Regina. «Ma che ore sono? Le dieci! Fra otto ore questi nove bruti assetati di sangue se ne andranno in giro per divorare un altro paio di dozzine di poveri innocenti. Dobbiamo fermarli!»

«Bombe su quelle canaglie!» esclamò il Capo dell'Aviazione.

«Raffiche di mitra!» esclamò il Capo dell'Esercito.

«Io sono contraria all'assassinio» disse la Regina.

«Ma abbiamo a che fare con assassini» protestò il Capo dell'Esercito.

«Non è un buon motivo per seguire il loro esempio» replicò la Regina. «Non è con un torto che dobbiamo far valere il nostro diritto».

«Se no è un diritto storto» commentò il GGG.

«Dobbiamo prenderli vivi» disse la Regina.

«Ma come?» esclamarono insieme i due militari. «Misurano una ventina di metri d'altezza e ci butterebbero giù come birilli!»

«Aspetta!» esclamò il GGG. «Io ha un piano fortissimo, come disse la mosca al naso!»

«Lasciatelo parlare» disse la Regina.

«Ogni pomeriggio tutti quei giganti è nelle traccia di Orfeo»

«Io non capisco una parola di quel che dice questo individuo; perché non si esprime chiaramente?» saltò su il Capo dell'Esercito.

«Vuol dire nelle braccia di Morfeo» spiegò Sofia, «mi pare evidente».

«Precisa e mente» approvò il GGG. «Ogni pomeriggio tutti e nove i giganti si stende per terra e ronfa come tromboni. Dorme sempre così fondo prima di galoppare a intripparsi di un'altra porcionzina di popollani».

«Va bene, e poi?»

«Poi i vostri soldati non ha che da arrampicarsi sopra i giganti mentre loro è nelle traccia di

Orfeo e legare mani e piedi con grosse corde e catene infranbigili».

«Un'idea brillante» commentò la Regina.

«Tutto bene» disse il Capo dell'Esercito, «ma poi come facciamo a trasportare quei bruti? Non possiamo caricare sui camion giganti alti quasi venti metri! Meglio farli fuori sul posto, dico io».

Dall'alto del suo trespolo il GGG si rivolse al Capo dell'Aviazione: «Voi ha dei culicotteri, no?» chiese.

«Ah, diventa anche volgare, ora?» esclamò il militare.

«Intende dire elicotteri» spiegò Sofia.

«E perché non lo dice, allora? Certo che abbiamo degli elicotteri».

«Dei culicotteri bellocci grossi?»

«Molto grossi» rispose fieramente il Capo dell'Aviazione. «Ma nessun elicottero è abbastanza grande da contenere uno di quei giganti».

«Tu non deve metterlo *dentro*» disse il GGG, «solo legarlo sotto la pancia del vostro culicottero e trasportarlo come un prorettile».

«Come cosa?» chiese il Capo dell'Aviazione.

«Un proiettile, un siluro» spiegò Sofia.

«È fattibile, questo, Generale?» chiese la Regina.

«Beh, fattibile... sì...» ammise il Capo dell'Aviazione a malincuore.

«Allora, tutti ai vostri posti!» ordinò la Regina. «Vi serviranno nove elicotteri, uno per gigante».

«Dov'è che si trovano esattamente?» chiese al GGG il Capo dell'Aviazione. «Immagino che possiate localizzarci il bersaglio sulla carta».

«*Localizzare? Bersaglio?*» si stupì il GGG. «Mai sentite prima queste parole. Che farfalluche mi racconta quest'uomo d'aria?»

Il viso del Capo dell'Aviazione prese il colore di una prugna matura: non era abituato a sentir definire fanfaluche i suoi discorsi.

La Regina, con il suo abituale tatto e buon senso, venne in aiuto al gigante: «GGG» disse, «potete dirci, *più o meno*, dove si trova il Paese dei Giganti?»

«No, Mistrà» rispose il GGG, «neanche sotto tortuga».

«Ma è assurdo!» esclamò il Capo dell'Esercito.

«Ridicolo!» rincarò il Capo dell'Aviazione.

«Voi non deve buttarvi giù così subito» disse pacifico il GGG. «Al primo piccolino testacolo voi vi cala i pantaloni».

Il Capo dell'Esercito — come del resto il Capo dell'Aviazione — non era abituato a essere insultato. Si fece paonazzo dal furore e gonfiò le gote, fino a farle diventare come due grossi pomodori maturi.

«Maestà!» gridò. «Abbiamo a che fare con un pazzo! Noi non vogliamo aver niente a che vedere con questa follia».

La Regina, abituata alle esplosioni di collera dei suoi generali, decise di ignorarlo.

«GGG» disse, «volete essere così gentile da

spiegare a questi due caratterini cosa conviene esattamente fare?»

«Con piacere, Mistrà. E ora voi mi ascolta bene, voi due marmittoni».

I due sussultarono, ma non dissero motto.

«Io non ha la più vaga idea di dove si trova il Paese dei Giganti, ma io può galoppare fin là. Io galoppa davanti e didietro dal Paese dei Giganti ogni notte per soffiare i sogni nelle camere dei babbini. Così io conosce benissimo la strada. Allora, tutto quello che voi deve fare è: voi manda nove grandi culicotteri in aria e loro mi segue mentre io galoppa».

«E quanto tempo ci vorrà?» chiese la Regina.

«Se noi si parte subito, si arriva proprio quando i giganti sta facendo la sua sesta».

«Perfetto» approvò la Regina. Poi, rivolgendosi ai suoi generali, aggiunse: «Preparatevi immediatamene a partire».

«Sarà tutto giusto, Vostra Maestà, ma che cosa ne faremo di quelle canaglie, quando le avremo portate qui?» chiese il Capo dell'Esercito, piuttosto scosso dagli avvenimenti.

«Non preoccupatevi» rispose la Regina, «ci penseremo a suo tempo. E ora, animo, togliete le tende!»

«Se a Vostra Maestà non dispiace» disse Sofia, «vorrei partecipare all'impresa con il GGG, per tenergli compagnia».

«E dove ti metterai?»

«Nel suo orecchio. Facciamoglielo vedere, GGG».

Il GGG discese dal suo imponente seggio, prese Sofia tra le dita, girò lo smisurato orecchio destro fino a renderlo parallelo al suolo e vi sistemò Sofia con delicatezza.

Il Capo dell'Esercito e il suo collega dell'Aviazione li fissavano inebetiti. La Regina sorrise: «Siete davvero un gigante meraviglioso» disse al GGG.

«Mistrà» fece il GGG, «io ha una cosa specialissima da chiedere a voi».

«Di che si tratta?»

«Può io trasportare nei culicotteri la mia collezione di sogni? Io ha messo anni e anni per raccoglierli e non può pensare di perderli».

«Ma certo» assicurò la Regina. «E ora, buon viaggio!»

La cattura

Il GGG aveva fatto migliaia di viaggi tra il Paese dei Giganti e le altre contrade, ma mai finora era stato accompagnato nella sua corsa da nove elicotteri che gli ronzavano sul capo. Nemmeno aveva mai osato viaggiare di giorno. Ma questa volta era diverso: lo faceva per la Regina d'In-

ghilterra in persona e non aveva paura di niente e
di nessuno.

Mentre attraversava al galoppo le Isole Britan-
niche seguito dagli elicotteri rombanti, la gente lo
guardava passare stupefatta, chiedendosi cosa
diavolo stesse succedendo. Mai fino a quel mo-

mento avevano assistito a uno spettacolo simile, e senza dubbio mai più sarebbe loro successo di assistervi.

Di tanto in tanto i piloti degli elicotteri riuscivano a scorgere una bambina con gli occhiali aggrappata al bordo dell'orecchio destro del gigante che li salutava con la mano, e ogni volta le rispondevano con cenni di saluto. I piloti erano sbalorditi dalla velocità del gigante e dalla facilità con cui attraversava d'un balzo larghi fiumi o saltava sulle case più alte.

Ma non avevano ancora visto il meglio.

«Attenzione, ti tiene forte» disse il GGG a Sofia, «ora si parte come un arazzo!»

Il GGG passò allora alla sua famosa velocità superiore e si slanciò quasi in volo come se avesse una molla nelle gambe e missili potentissimi attaccati agli alluci. Filava magicamente sulla superficie della terra a balzi ritmici, con i piedi che quasi non toccavano il suolo. Ancora una volta Sofia dovette reggersi strettamente al bordo dell'orecchio per evitare di venir portata via dal vento.

I nove piloti sui loro elicotteri si resero conto che il GGG stava per distanziarli. Guadagnava terreno rapidamente e furono costretti a mettere i motori a pieno ritmo, ma anche così riuscivano a tenergli dietro a stento.

Nell'apparecchio di testa, il Capo dell'Aviazione era seduto accanto al pilota. Con un atlante spalancato sulle ginocchia fissava alternativamente la carta geografica e il suolo che filava

196

rapido sotto di loro, cercando invano di orizzontarsi.

«Ma dove diavolo siamo?» esclamò girando freneticamente le pagine dell'atlante.

«Non ne ho la più pallida idea» rispose il pilota. «La Regina ha dato ordine di seguire il gigante, ed è proprio quello che stiamo facendo».

Il pilota era un giovane ufficiale che esibiva con grande fierezza un paio di folti mustacchi. Non aveva paura di niente e amava l'avventura. E questa, pensava, era un'avventura davvero straordinaria.

«È divertente scoprire luoghi sconosciuti» osservò.

«Luoghi sconosciuti!» esclamò il Capo dell'Aviazione. «Che cosa intende per *sconosciuti*?»

197

«Il posto che stiamo sorvolando ora non figura nell'atlante, vero?» sogghignò il pilota.

«Ha maledettamente ragione! Non c'è proprio, nell'atlante! Stiamo volando oltre l'ultima pagina!»

«Ma certamente il vecchio gigante sa dove va» disse il pilota.

«Ci conduce al disastro!» gemette il Capo dell'Aviazione tremando di paura.

Seduto dietro di lui, il Capo dell'Esercito era ancor più terrorizzato.

«Non volete darmi a bere che siamo usciti dall'atlante!» esclamò chinandosi a osservare il libro.

«È proprio quello che sta succedendo: può constatarlo lei stesso. Questa è l'ultima carta di questo dannato atlante, ed è già un'ora che stiamo volandone fuori!»

Il Capo dell'Aviazione voltò pagina; come in tutti gli atlanti, le due ultime pagine erano bianche.

«In questo momento dobbiamo trovarci qui, da qualche parte» disse il generale puntando il dito sul foglio vuoto.

«E cioè?» chiese il Capo dell'Esercito.

«È per questo che ci sono sempre due pagine bianche in fondo agli atlanti» intervenne il pilota senza abbandonare il suo largo sorriso: «è per i paesi nuovi, così ci si può disegnare la mappa da soli!»

Il Capo dell'Aviazione gettò un'occhiata in basso.

«Guardate che infernale deserto!» esclamò. «Soltanto alberi morti e rocce bluastre!»

«Il gigante si è fermato» avvertì il giovane pilota «e ci fa segno d'atterrare».

I piloti rallentarono i motori e i nove elicotteri si posarono senza difficoltà sul vasto terreno giallastro e desolato. Poi da ogni apparecchio venne calata una rampa per consentire a nove jeep di scendere. Sei soldati, equipaggiati di un considerevole corredo di grosse corde e di pesanti catene, occupavano ogni jeep.

«Non vedo giganti» notò il Capo dell'Esercito.

«Loro è laggiù, fuori vista» spiegò il GGG. «Se voi vi avvicina con tutto quel brumbrummo di culicotteri, loro si sveglia e hop! bella ciao».

«E voi volete che si vada là in jeep?» chiese il Capo dell'Esercito.

«Sì, ma in un silenzio di bomba. Niente rombo di motori, niente grida, niente tramgusto, niente turpilocchio».

Il GGG, sempre con Sofia nell'orecchio, se ne partì a piccoli balzi, seguito dalle jeep.

All'improvviso si udì uno spaventoso rimbombo. Il viso del Capo dell'Esercito assunse una tinta verde pisello.

«Sono colpi di cannone!» esclamò. «Da qualche parte laggiù si sta combattendo una battaglia! Dietro front, miei prodi! Abbandoniamo il campo!»

«Come voi ammaiala presto le vele!» disse il GGG. «Quelli non è colpi di cannone».

«E invece sì!» esclamò il Capo dell'Esercito.

199

«Volete che un soldato come me non riconosca un colpo di cannone? Dietro front».

«È i giganti che stronfia dormendo» spiegò il GGG. «Voi vuole che un gigante come me non riconosce uno stronfio di gigante?»

«Siete sicuro?» balbettò il Capo dell'Esercito.

«Sicurissimo».

«Bene, avanzata prudente!» ordinò il Capo dell'Esercito.

La truppa si rimise in movimento e, improvvisamente, ecco i giganti!

Anche a distanza lo spettacolo era tale da terrorizzare i soldati. Ma quando si furono avvicinati e si resero conto dell'aspetto dei nove mostri, cominciarono a sudar freddo. Nove spaventosi orripilanti mostri mezzi nudi, di una ventina di metri ciascuno, stavano stravaccati al suolo in posizioni grottesche, profondamente addormentati, e il loro russare infernale avrebbe potuto essere scambiato per il fragore di una battaglia.

Il GGG alzò una mano, le jeep si fermarono e i soldati scesero.

«Che succede, se uno di loro si sveglia?» balbettò il Capo dell'Esercito, con le ginocchia che sbattevano insieme per la fifa.

«Se uno di loro si sveglia, lui vi pappa prima che voi ha il tempo di dire "ohia"» lo informò il gigante con un sorriso gioviale. «Io è il solo che loro non mi pappa, perché i giganti non mangia mai altri giganti. Io e Sofia è i soli che si salva, perché io la nasconderà, se butta male».

Il Capo dell'Esercito indietreggiò di qualche passo, imitato dal Capo dell'Aviazione. Risalirono rapidamente sulle loro jeep, pronti a filarsela in caso di necessità.

«Avanti, soldati!» comandò il Capo dell'Esercito. «Avanti, e compite coraggiosamente il vostro dovere!»

I soldati avanzarono prudentemente, muniti di corde e catene. Tremavano da capo a piedi e nessuno osava dire una parola.

Il GGG, tenendo Sofia al sicuro nel palmo della mano, rimaneva nei pressi, osservando lo svolgersi dell'operazione.

Per rendere giustizia ai soldati, bisogna dire che si mostrarono molto coraggiosi. Sei uomini ben addestrati ed efficienti si occuparono di ciascun gigante, e in dieci minuti otto dei nove bruti erano stati legati come salsicce e continuavano a ronfare beatamente.

Il nono, e precisamente l'Inghiotticicciaviva, stava invece rendendo le cose difficili ai soldati perché giaceva addormentato sul braccio destro, ripiegato sotto lo smisurato corpaccio; era impossibile legargli le mani se prima non si riusciva a fargli tirar fuori il braccio.

Prendendo infinite precauzioni, i sei soldati cui era toccato l'Inghiotticicciaviva si misero a tirargli il braccio e a cercare di districarlo dal corpo. Ma proprio in quel momento l'Inghiotticicciaviva aprì i neri occhietti porcini.

«Chi è quella peste marcia che mi tira il braccio?» ruggì. «È tu, putrefatto Strizza-teste?»

Poi scorse i soldati. In un baleno si rizzò e si guardò intorno. Vedendone ancora, lanciò un ruggito e balzò in piedi. I soldati, paralizzati dalla paura, erano come pietrificati. Non portavano armi. Il Capo dell'Esercito fece marcia indietro con la sua jeep.

«Popollani!» gridò l'Inghiotticicciaviva. «Cos'è venuti a far qui questi schifi puzzosi mezzi morti di sonno?»

Tese un braccio e acchiappò un soldato.

«Oggi si cena prima!» esclamò tenendo davanti a sé a braccio teso il povero soldato che si divincolava. Il gigante ruggiva dal ridere.

Sofia, in piedi sul palmo della mano del GGG, era inorridita. «Faccia qualcosa!» gridò. «Presto, prima che lo mangi!»

«Tu mette giù quest'uomo strapazzato!» esclamò il GGG.

L'Inghiotticicciaviva si volse e puntò lo sguardo sul GGG. «E *tu* che fa qui con questi storti birilli?» grugnì. «Io è molto rospettoso!»

Il GGG si precipitò sull'Inghiotticicciaviva, ma il colossale gigante, tanto più alto di lui, lo buttò

a terra con un semplice movimento del braccio libero. Sofia cadde dalla mano del GGG e si ritrovò al suolo. I pensieri le turbinavano nel cervello: *doveva* fare qualcosa! *Doveva! Doveva!* Si ricordò allora della spilla di zaffiri che la Regina le aveva appuntato sul petto. Se la sfilò rapida.

«Io ti ciuccerà dolce e lento!» stava dicendo l'Inghiotticicciaviva al soldato che teneva in mano. «Poi mi ciuccerà altre dieci o venti di quelle piccole cicale nane laggiù. E non spera di scappare, perché io trotta cinquanta volte più che te!»

Sofia corse alle spalle dell'Inghiotticicciaviva, con la spilla di zaffiri tra le dita. Quando giunse vicino alla grande gamba pelosa conficcò più forte che poté, nella caviglia destra del gigante, dieci centimetri di spilla. L'ago del fermaglio penetrò profondamente nella carne e vi rimase conficcato.

L'Inghiotticicciaviva lanciò un ruggito di dolore e fece un balzo in aria. Lasciò cadere il soldato e si afferrò la caviglia.

Il GGG, conoscendo quanto l'Inghiotticicciaviva fosse pauroso, colse l'occasione al volo.

«Ti ha morso un serpente!» esclamò. «Io ha visto che ti mordeva! Un terribile serpente verminoso! Uno spaventoso serpente ad agli!»

«Si salvi chi può! Suonate le vostre tombe e le vostre capanne!» ruggì l'Inghiotticicciaviva. «Io è morso da un verminoso serpente ad agli!»

Poi crollò al suolo e vi restò accucciato, a urlare, con le mani che stringevano la caviglia. Allora le sue dita toccarono la spilla.

«Il dente dell'orribile serpente ad agli è restato nella mia caviglia!» gridò. «Io sente la sua punta!»

Il GGG approfittò immediatamente di questa seconda occasione.

«Bisogna levare subito questo dente di serpente» esclamò, «altrimenti tu sarà più morto che un'anatra all'arancia! Io ti aiuterà».

Il GGG si inginocchiò accanto all'Inghiotticciaviva. «Tu tiene la caviglia ben stretta tra le due mani!» si raccomandò. «Questo impedirà che il sugo del veleno del verminoso serpente ad agli sale per la tua gamba fino al cuore!»

L'Inghiotticicciaviva si strinse la caviglia con le mani.

«Ora» disse il GGG, «chiude gli occhi, serra i denti, pensa al cielo e dice le tue preghiere mentre io toglie il dente del serpente verminoso».

Terrorizzato, l'Inghiotticicciaviva eseguì esattamente quel che gli veniva detto.

Allora il GGG fece capire che gli dessero una corda; un soldato gliene lanciò subito una. Con le due mani dell'Inghiotticicciaviva attanagliate alla caviglia, fu uno scherzo per il GGG legare mani e piedi insieme, con un nodo ben stretto.

«Io ti sta levando l'orribile dente di serpente» diceva il GGG mentre annodava strettamente la corda intorno ai polsi e alle caviglie del mostro.

«Presto!» urlava l'Inghiotticicciaviva. «Prima che io è agliato a morte!»

«Ecco fatto» annunciò il GGG rizzandosi. «Ora dà un'occhiata!»

Quando l'Inghiotticicciaviva si accorse di essere legato come un tacchino, lanciò un urlo così potente che il cielo tremò. Si contorse e si divincolò, si dibatté e si inarcò, si dimenò e si attorcigliò, ma non c'era niente da fare.

«Bravo!» gridò Sofia.

«Brava *a te*!» rispose il GGG sorridendole. «Ci ha salvati tutti!»

«Per favore, mi riprenderebbe la spilla?» chiese Sofia. «Appartiene alla Regina».

Il GGG tolse il bellissimo gioiello dalla caviglia dell'Inghiotticicciaviva, che urlò di dolore; lo ripulì e lo restituì a Sofia.

Stranamente, nessuno degli altri otto giganti si era svegliato durante quel putiferio. «Quando tu dorme solo una o due ora al giorno» spiegò il GGG, «tu dorme due volte più fondo profondo».

Il Capo dell'Esercito e il Capo dell'Aviazione ricomparvero sulle loro jeep. «Sua Maestà sarà molto soddisfatta di me» disse il Capo dell'Esercito. «Probabilmente mi darà una medaglia. Qual è la prossima mossa?»

«Ora si va tutti alla mia caverna e si trasporta i miei barattoli di sogni» disse il GGG.

«Non possiamo perder tempo con queste sciocchezze» disse il Capo dell'Esercito.

«Ordine della Regina» ricordò Sofia, che aveva ripreso il suo comodo posto sulla mano del GGG.

Così le nove jeep si diressero verso la caverna e la laboriosa operazione di stivaggio dei sogni cominciò. In tutto c'erano da caricare sulle vetture cinquantamila barattoli, il che voleva dire più di cinquemila barattoli per jeep. Ci volle un'ora abbondante per portare a termine l'operazione.

Mentre i soldati caricavano i sogni, il GGG e Sofia scomparvero dietro le montagne per una misteriosa destinazione. Quando ricomparvero, il GGG portava sulle spalle un sacco grande come una piccola casa.

«Che cosa tenete là dentro?» volle sapere il Capo dell'Esercito.

«La curiosità uccise il ratto» replicò il GGG, e volse le spalle a quello sciocco.

Quando fu sicuro che tutti i suoi preziosi sogni fossero ben stipati sulle jeep, il GGG disse: «Ora noi si torna ai culicotteri e si tira su gli orrendi giganti».

Le jeep raggiunsero gli elicotteri, sui quali furono accuratamente caricati, barattolo per barattolo, i cinquantamila sogni. I soldati risalirono a bordo, ma Sofia e il gigante rimasero a terra e tornarono dove giacevano incatenati i nove giganti.

Era una vera gioia vedere le nove grosse macchine volanti sospese in aria sopra i giganti prigionieri. Ancora più grande fu la gioia quando i mostri, al terribile rombo dei motori sopra le loro teste, si svegliarono; ma il colmo della gioia fu lo spettacolo di quei nove orrendi bruti che si torcevano e si divincolavano al suolo come giganteschi serpenti, cercando di liberarsi da corde e catene.

«Io è tutto invorticato!» ruggì l'Inghiotticicciaviva.

«Io è turacciolato!» esclamò il Trita-bimbo.

«Io è tortiglionato!» ruggì il Crocchia-ossa.

209

«Io è rollato come un'oca!» mugolò lo Strizza-teste.

«Io è disartincollato!» vociferò il Vomitoso.

«Io è mummificato!» si spolmonò lo Spella-fanciulle.

«Io è frullato!» muggì il Ciuccia-budella.

«Io è incaterinato!» mugolò il San Guinario.

«Io è rullocompressato!» guaì lo Scotta-dito.

Ciascuno dei nove elicotteri scelse un gigante e puntò dritto su di lui. Dalla parte anteriore e da quella posteriore degli apparecchi vennero calati

cavi d'acciaio muniti alle estremità di ganci, ai quali il GGG fu svelto ad attaccare le catene dei giganti, un gancio vicino alle gambe ed uno all'altezza delle braccia. Poi, molto lentamente, con l'argano furono ritirati i cavi, in modo che il corpo di ciascun gigante rimanesse sospeso, parallelo al suolo. I bruti si misero a ruggire e a vociare, ma non c'era speranza, per loro.

Allora il GGG, con Sofia sempre comodamen-

te installata nell'orecchio, si slanciò di gran carriera in direzione dell'Inghilterra. Gli elicotteri si raggrupparono dietro di lui e lo seguirono.

Quei nove elicotteri in volo, ognuno dei quali trasportava un gigante di venti metri legato come un salame, offrivano uno spettacolo straordinario. Gli stessi giganti dovevano riconoscere che si trattava di un'esperienza interessante. Durante tutto il viaggio non smisero mai di urlare, ma le loro grida erano coperte dal rombo dei motori.

Quando cominciò a far buio, gli elicotteri accesero potenti fari e ne diressero il fascio di luce sul GGG al galoppo, per non perderlo di vista. Continuarono a volare così nella notte, e raggiunsero l'Inghilterra allo spuntar del giorno.

Il pasto delle belve

Mentre la cattura dei giganti era in atto, un impressionante trambusto regnava in Inghilterra: tutte le scavatrici e le trivelle del paese erano state mobilitate per scavare l'immensa fossa nella quale i giganti sarebbero rimasti imprigionati per sempre.

Diecimila uomini e diecimila macchine avevano lavorato senza sosta durante la notte, illuminati da potenti riflettori, e la gigantesca impresa fu portata a termine giusto in tempo.

La fossa, profonda centocinquanta metri, era due volte più larga di un campo di calcio. Le pareti erano perfettamente verticali e gli ingegneri avevano calcolato che sarebbe stato del tutto impossibile per un gigante scappare, una volta calato sul fondo. Anche se i nove giganti fossero saliti uno sulle spalle dell'altro, il gigante in cima a tutti sarebbe venuto a trovarsi quindici metri sotto i margini della fossa.

I nove elicotteri sorvolarono l'immensa fossa, in fondo alla quale i giganti furono calati uno a uno. Erano ancora legati, e venne il momento in cui si presentò il problema di come liberarli dai loro lacci. Nessuno voleva scendere in fondo per

farlo, perché, una volta libero, il gigante si sarebbe sicuramente gettato sulla persona per divorarla.

Come sempre, fu il GGG a risolvere la questione. «Io vi ha già spiegato che i giganti non mangia gli altri giganti, così io va giù e li libererà prima che voi può dire ah-men!»

Il GGG fu calato con una corda, sotto lo sguardo affascinato di migliaia di spettatori, tra cui la Regina. Uno a uno, liberò i giganti che si levarono in piedi, stirarono le braccia e le gambe anchilosate e si misero a fare balzi furibondi.

«Perché noi è stati messi in questa claoca?» gridarono al GGG.

«Perché voi vi intrippa di popolli. Io vi aveva sempre avvertiti di non farlo, ma voi non ha mai ascoltato i miei saggi conigli».

«Se è così» grugnì l'Inghiotticicciaviva, «è di *tu* che noi ci intrippa adesso!»

Il GGG afferrò la corda penzolante e fu tirato su appena in tempo.

Sul terreno, all'imboccatura della fossa, era posato il gran sacco che s'era portato dietro dal Paese dei Giganti.

«Che cosa c'è lì dentro?» domandò la Regina.

Il GGG introdusse un braccio nel sacco e trasse un oggetto grande come un uomo, con la superficie a strisce bianche e nere.

«Cetrionzoli!» esclamò trionfante. «Ecco lo schifente cetrionzolo, Mistrà, e questo è tutto quello che mangerà d'ora in poi questi disgustosi giganti!»

«Posso assaggiarlo?» chiese la Regina.

«No, Mistrà, no! Ha un gusto esecroso e nauseabonzo!»

Il GGG lanciò il cetrionzolo ai giganti nella fossa. «Arriva la pappa!» gridò. «Ce n'è quanta voi vuole!» Tolse altri cetrionzoli dal sacco e li gettò dietro al primo nella fossa. Dal fondo salivano gli urli e le ingiurie dei nove mostri.

«Ben gli sta, di qua e di là!» commentò ridendo il GGG.

«E cosa daremo loro da mangiare, quando i vostri cetrionzoli saranno terminati?» chiese la Regina.

«Ce ne sarà sempre, Mistrà» rispose il GGG con un sorriso, «perché io ha anche portato nel sacco un mucchio di radicchi di cetrionzolo che io consegnerà, con il vostro permesso, al giardiniere reale perché li pianta. Così noi avrà una eterna pappa dello schifente vegetario da dare a questi bruti sanguinacci».

«Siete un tipo assai astuto» disse la Regina. «Forse la vostra educazione lascia un po' a desiderare, ma potete dare punti a molta gente, ve l'assicuro».

L'autore

Da tutti i paesi che nel passato erano stati visitati dagli orribili giganti mangiatori d'uomini giunsero al GGG e a Sofia telegrammi di congratulazioni e ringraziamenti. Re, Presidenti, Primi Ministri e Capi di Stato di ogni tipo prodigarono complimenti e attestati di gratitudine al gigante e alla bimbetta, ricoprendoli di medaglie e di regali.

Il Governo Indiano, in particolare, mandò al

GGG un magnifico elefante, appagando così uno dei suoi più grandi desideri.

Il Re d'Arabia inviò due cammelli, uno per Sofia e uno per il GGG.

Il Lama del Tibet regalò loro due lama.

Lo Stato di Panama inviò splendidi cappelli.

Il Re di Svezia un intero barile di maiale in agrodolce.

Le Isole Shetland mandarono pullover.

Insomma, il mondo intero manifestava loro una gratitudine senza fine.

La Regina d'Inghilterra ordinò che si costruisse subito, accanto al castello, a Windsor Great Park, una casa speciale, con i soffitti altissimi e le porte smisurate, perché il GGG potesse abitarvi. Proprio accanto volle che sorgesse un graziosissimo cottage per Sofia. Nell'abitazione del GGG era stato progettato anche un ambiente speciale per stivare i sogni, con centinaia di scaffali lungo i quali egli potesse disporre gli adorati barattoli. Inoltre fu insignito del titolo di Soffia-Sogni Reale. Aveva il permesso di andarsene ovunque in Inghilterra ogni notte, a soffiare i suoi meravigliosi lamponi-di-genio nelle camere dei bambini addormentati, e ricevette una valanga di lettere di bambini che lo pregavano di andarli a trovare.

Da tutti gli angoli del globo i turisti giungevano per vedere la grande fossa e osservare lo

stupefacente spettacolo dei nove orribili giganti mangiatori d'uomini. Si ammassavano soprattutto all'ora dei pasti, quando i guardiani gettavano loro i cetrionzoli, e si divertivano sempre un sacco agli urli e ai ruggiti d'orrore che salivano dal fondo quando i giganti addentavano il più disgustoso legume mai cresciuto sulla terra.

220

Si verificò un solo incidente: un giorno, tre stupidoni che avevano bevuto troppi boccali di birra decisero di scalare l'alto recinto che circondava la fossa, e caddero sul fondo. Si udirono allora le grida di giubilo dei giganti, e un crocchiare d'ossa sotto i loro denti. Il capo guardiano decise così di appendere al recinto un grande cartello, che diceva: VIETATO DARE DA MANGIARE AI GIGANTI. Da allora non si è più verificato un solo episodio drammatico.

Il GGG aveva espresso il desiderio di imparare a parlare correttamente, e Sofia propose di dare lei stessa lezione ogni giorno a quel gigante che ormai amava come un padre. Gli insegnò anche l'ortografia e l'arte di comporre le frasi. Il GGG si rivelò un allievo straordinariamente intelligente. Nelle ore libere leggeva, e divenne un incredibile divoratore di libri. Lesse le opere complete di Charles Dickens (che ora non chiamava più Dahl's Chickens), tutto Shakespeare e migliaia di altri capolavori letterari. Cominciò anche a scrivere i suoi ricordi. «Splendido» disse Sofia, «forse un giorno diventerai un vero scrittore».

«Come mi piacerebbe!» esclamò il GGG. «Pensi davvero che potrei riuscirci?»

«Ne sono sicura. Perché non incominci a scrivere un libro su noi due?»

Il GGG si mise all'opera, lavorò sodo e arrivò a finire il manoscritto. Timidamente lo mostrò alla Regina, che lo lesse a voce alta ai suoi nipotini. Quand'ebbe terminata la lettura disse:

«Credo che bisognerebbe far stampare questo libro e pubblicarlo, in modo che anche gli altri bambini possano leggerlo».

Così avvenne, ma siccome il GGG è un gigante molto modesto, non volle che il suo nome figurasse in copertina. Al suo posto si stampò quello di un altro.

E ora forse domanderete dov'è finito il libro scritto dal GGG.

Eccolo qui: avete appena terminato di leggerlo.

Indice

GL'ISTRICI
Periodico mensile: settembre 2001
Direttore responsabile: Luigi Spagnol
Registrazione del Tribunale di Milano n. 599 del 5.10.1996

Finito di stampare
nel mese di aprile 2004
per conto della Adriano Salani Editore s.r.l.
dalle Nuove Grafiche Artabano Gravellona Toce (VB)
Printed in Italy